LE

DEUTÉRONOME

Ce fascicule a été revu, pour le Comité de Direction, par M. l'Abbé VINCENT, *Professeur à l'Université de Strasbourg, et par le* R. P. Th.-G. CHIFFLOT, O. P.

LA SAINTE BIBLE

traduite en français

sous la direction de l'École Biblique de Jérusalem

LE

DEUTÉRONOME

traduit par

H. CAZELLES, P. S. S.

Professeur à l'Institut Catholique de Paris

(2e édition revue)

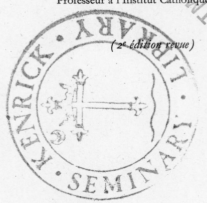

LES ÉDITIONS DU CERF

29, boulevard Latour-Maubourg, Paris

1958

NIHIL OBSTAT :

Lutetiae Parisiorum,
die 15ª octobris 1949.

J. Pressoir, P. S. S.

IMPRIMATUR :

Lutetiae Parisiorum,
die 24ª novembris 1949.

P. Brot,
v. g.

INTRODUCTION

Le livre et sa structure. La Loi de Moïse ou *Tôrah* comprend cinq livres, le *Deutéronome* en est le dernier. Son nom lui vient de la traduction grecque : *deuteros nomos,* la seconde loi. En hébreu il n'a pas de titre, et ses premiers mots servent à le désigner : « Voici les paroles. »

Les traducteurs grecs ont donc été surtout frappés par l'ensemble de lois contenu dans le *Deutéronome*. Non seulement les chapitres 12 à 26 composent un véritable code, mais le chapitre 5 nous donne une version du Décalogue et d'autres prescriptions se trouvent éparses ailleurs. Il y aurait donc là une « seconde loi », la première étant celle que l'*Exode, le Lévitique* et même le livre des *Nombres* nous relatent dans le cadre des événements du Sinaï.

Il y a cependant dans ce livre autre chose que des lois. Ce livre qui termine la Tôrah de Moïse s'achève par la mort de Moïse. Il comporte quelques autres récits relatifs au séjour des Israélites en Moab, où va mourir le fondateur sans avoir mis le pied en Canaan. Tout le Pentateuque est ainsi un mélange de récits et de lois, les récits ayant pour but de faire saisir le caractère divin de la Loi, cette Loi étant le fruit de la Providence surnaturelle de Dieu qui gouverne et dirige son peuple.

Mais ces quelques récits ne constituent pas l'originalité du *Deutéronome*. Ce qui lui est propre, c'est d'avoir repris l'histoire

7

religieuse d'Israël dans de grands discours qui encadrent le code. C'est là qu'il dégage le sens des événements de l'Exode, du Sinaï et de la conquête. C'est là qu'il donne toute sa portée à la Loi et fait dépendre l'avenir de la fidélité avec laquelle on l'observera.

Cet ensemble de lois, de discours, de récits, ne peut qu'être assez complexe. De plus, ces lois sont groupées d'une manière qui n'est pas strictement logique, il y a pluralité de discours, et les récits s'intercalent les uns dans les autres d'une manière à première vue étrange. Tout cela contribue à donner à notre livre sa physionomie et sa structure. En voici les lignes générales :

I. Le « Deutéronome » proprement dit.

    I. — Discours d'introduction :

        a) 1er discours, **1** 6-4 40, précédé de données historiques (**1** 1-5).

        b) 2e discours, **5-11**, précédé de données historiques (**4** 41-49).

    II. — Le code deutéronomique, **12-26**.

    III. — Discours de conclusion :

        a) Fin du 2e discours d'introduction, dont l'ensemble enclôt le code, **27** (sauf quelques péricopes) et **28**.

        b) 3e et dernier discours, **29-30**.

II. Les récits relatifs à la fin de la vie de Moïse.

    I. — Textes de transition (sur Josué, la loi et le cantique), **31**.

    II. — Le cantique de Moïse, **32**.

    III. — La bénédiction des tribus prononcée par Moïse, **33**.

    IV. — La mort de Moïse, **34**.

La doctrine. Ce livre essentiellement religieux n'est pas un traité sur Dieu, mais un appel vibrant à vivre avec Yahvé, le vrai Dieu. Ces exhortations ont leur source dans une doctrine. Il y a des vérités que le *Deutéronome* suppose connues, il y en a d'autres qu'il enseigne.

Il reconnaît implicitement que l'homme dépend d'un être plus puissant que lui. Cet être dispose des événements et commande à tous les phénomènes; si l'homme veut mener sa vie à bien, il doit tenir compte de lui et s'adresser à lui. Le vrai Dieu est en effet le maître de la nature, de la vie et de la fécondité : pluie et sources, productions de la terre, reproduction des animaux, fécondité humaine. De plus, cette force dispose du sort des nations comme elle dispose de leurs ressources : elle leur a donné leur territoire, elle peut le leur retirer.

Cette force mystérieuse qui agit si puissamment sur le monde sensible n'est pas pour autant un être sensible. Seules les métaphores nous suggèrent son être, son intelligence et sa volonté. Sa « face », c'est sa présence; sa « main », sa puissance; son « bras », son énergie; son « regard » enfin, sa Providence. Mais cet être ne veut être défini et représenté par aucun être sensible, il ne veut être connu que par sa loi, expression de sa volonté, et par ses prodiges, expression tangible de sa surnaturelle présence.

C'est ici que nous atteignons l'enseignement propre du *Deutéronome*. Ce Dieu s'est choisi un peuple entre tous les autres auxquels il a laissé en partage les faux dieux (4 19). Ce peuple, c'est Israël, la descendance d'Abraham, Isaac et Jacob. Israël n'est pour rien dans ce choix, c'est par pure complaisance que Yahvé s'est révélé à lui et a voulu être connu de lui. En libérant Israël de la servitude égyptienne, il a donné des signes non équivoques de son intention; devant sa puissance celle du Pharaon dut céder. Cette Providence toute spéciale s'est encore exercée au désert jusqu'à la conquête de la Transjordanie, elle continuera encore et mettra Israël en possession de cette terre qu'un serment divin avait promise

aux Patriarches quand ils y avaient séjourné. C'est en vertu
de ce serment (unilatéral) de Dieu et non de l'alliance (bila-
térale), que cette promesse a été faite.

Mais Yahvé ne s'est engagé à protéger Israël qu'au titre
du pacte. Ce n'est pas seulement un Dieu de nature, c'est un
Dieu moral qui ne s'est pas lié sans conditions à ce peuple.
Au grand jour de l'Horeb, Dieu lui a demandé par le Décalogue le respect du prochain; Dieu n'entend pas faire bénéficier de sa Toute-Puissance une oligarchie ou une société
dont les uns exploiteraient les autres. Si ce peuple est infidèle
aux prescriptions du pacte, l'appui divin manquera, les calamités s'abattront sur le peuple choisi. Il sera finalement châtié
par la perte de ce territoire dont Dieu lui avait fait don aux
dépens des Cananéens.

Si ces derniers ont été dépossédés, cela tenait aux infamies
qu'ils y commettaient. Mais à son tour Israël ne va-t-il pas
être tenté à leur exemple de faire des choses abominables aux
yeux de Yahvé ? Avant même de traverser le Jourdain il s'est
laissé séduire à Baal-Péor, ne va-t-il pas être contaminé ? Ne
va-t-il pas perdre en Canaan sa morale et son yahvisme ?
Contre ce mal qui risque de le corrompre et de le ruiner, le
peuple reçoit de la Providence deux moyens de défense :

Un moyen négatif. Par l'intermédiaire de l'autorité mosaïque
(et non plus par révélation directe comme le Décalogue) une
législation va être donnée au peuple, qui assurera la séparation entre Israélites et Cananéens. Bien que le même sol les
ait fait vivre les uns et les autres, le peuple de Yahvé vivra
ainsi d'une autre vie que les adorateurs des faux dieux. Commandements, lois et coutumes vont assurer cette mise à part
d'Israël : les hauts lieux cananéens seront détruits, le culte
yahviste sera finalement organisé dans le seul sanctuaire que
Yahvé aura choisi pour y faire demeurer son nom, les Israélites ne devront pas épouser de Cananéens, la vie de l'Israélite
pauvre sera protégée contre les exactions.

Un moyen positif. Yahvé va fortifier et approfondir la
conscience religieuse de son peuple. Il va lui faire comprendre

la force du lien qui existe entre les Israélites; ce sont des frères. Bien plus il va mettre à la source de toutes ces prescriptions l'amour de Dieu. Le législateur mandaté par Dieu s'adresse au cœur du fidèle pour lui faire entrevoir la vie profonde d'où jaillissent toutes ces prescriptions. Il va lui rappeler la beauté du pays que Dieu lui a donné, la force et la grandeur de la tradition yahviste. Il va lui révéler la miséricorde de Dieu et l'intimité de Dieu avec les siens : « La parole est tout près de toi, elle est dans ta bouche et dans ton cœur » (**30** 14). Ainsi présentée, si humaine et si cordiale, la Loi n'apparaît-elle pas comme douce à pratiquer ? Et par antithèse, pour saisir le cœur de cet Israélite au cou raide toujours prêt à se dérober, le *Deutéronome* cherchera à le frapper par une vision dramatique des terribles effets du refus d'obéissance.

Cette élection divine miséricordieuse ira plus loin encore. Même si Israël périt et subit l'exil pour ne pas avoir mis en pratique ces sages prescriptions, ceux qui graveront cette loi sur leur cœur et en pénétreront l'intime de leur âme, ceux-là retrouveront Yahvé au milieu même de leur détresse (**4** 29); Dieu les rassemblera à nouveau, Israël ne saurait périr entièrement, le peuple élu traversera l'épreuve car « les pères ne seront pas mis à mort pour les fils, ni les fils pour les pères. Chacun sera mis à mort pour son propre crime » (**24** 16, cf. **7** 10). Aux âmes de bonne volonté le salut est ouvert.

La forme et l'expression. A cette doctrine correspondent le style et le mode d'expression. Rarement fond et forme sont aussi liés.

Le *Deutéronome* s'adresse au cœur, son style sera oratoire et insinuant. En dépit de la pauvreté des moyens syntaxiques que lui offre la grammaire hébraïque, notre auteur a su donner à sa phrase une ampleur que la prose biblique atteint rarement. On a pu parler de la « période deutéronomique ». Ce n'est pas qu'il n'y ait maladresses et répétitions et nous n'en sommes pas encore à la perfection de la rhétorique grecque; mais ces discours ont un souffle réellement puissant, et l'émouvant appel à l'amour de Dieu du chapitre **6** restera toujours une splendide page d'éloquence.

Il y a là un style direct qui envahit même les textes de lois impersonnels. Nombre de ces textes ont été recueillis à peu près tels quels par notre auteur dans des collections antérieures, mais il y introduit un « tu » ou un « ton », un « vous » ou un « votre » qui les transforme. Ou encore, il y ajoute une de ces phrases types où il a comme gravé sa théologie et par lesquelles il veut donner le sens religieux profond d'une loi apparemment banale. Il en résulte pour l'ensemble de l'œuvre une grande unité de ton : le code est souvent une adresse ou un appel, les discours contiennent fréquemment des directives précises, du moins sur la religion et sur la morale.

Le *Deutéronome* a donc ses phrases favorites par lesquelles il rappelle constamment sa doctrine. Israël, « le peuple » élu, se compose de « frères ». Yahvé sera très souvent désigné comme « Yahvé ton Dieu » ou « Yahvé votre Dieu ». La Terre Promise, ce riche don de Dieu, sera désignée comme « un pays qui ruisselle de lait et de miel ». Pour en conserver la possession, Israël est appelé à « faire disparaître le mal du milieu de toi » et surtout à « écouter (obéir à) la voix de Yahvé ton Dieu » : par quoi se trouve rappelée la grande doctrine de la Révélation. Les actes interdits le sont parce que ce sont des « abominations pour Yahvé ». Pour bien vivre, Israël doit mettre en pratique les dispositions législatives « que Yahvé prescrit », et on les désigne par l'expression stéréotypée de « commandements, lois et coutumes ». Israël mettra cette « Tôrah » en pratique quand il aura franchi le Jourdain, dans « le pays où tu vas entrer pour en prendre possession » pour y être heureux (« afin qu'il y ait là pour toi du bonheur »), et pour y demeurer longtemps (« afin que tu y passes de longs jours »). Dans ce cas « Yahvé ton Dieu te bénira »; au cas contraire « la colère de Yahvé ton Dieu s'enflammera ». Enfin d'autres particularités, telles que la désignation du Sinaï comme Horeb et le passage constant du singulier au pluriel, ne sont pas non plus sans quelques connexions avec le fond du livre.

**La composition
du livre.**

La structure du livre tel que
nous le possédons actuellement interdit de voir dans le
Deutéronome une œuvre com-
posée d'un seul jet. Non seulement les récits relatifs à la fin de
la vie de Moïse révèlent dans bien des paragraphes un autre
style, une autre main, une autre mentalité, mais, même à l'intérieur du *Deutéronome* proprement dit, les solutions de conti-
nuité, les insertions, les reprises, la pluralité des conclusions
obligent à admettre plusieurs étapes de rédaction. Mais les
questions de critique littéraire sont subtiles et l'accord n'est
point fait entre les compétences sur la manière dont le livre
a été composé. Voici la solution qui, selon nous, a pour elle
le plus de probabilités, *salvo meliore judicio*.

Comment garder intact en Canaan l'héritage religieux de
Moïse ? A problèmes nouveaux il fallait régulations nouvelles,
mais inspirées par l'esprit de Moïse. Celui-ci avait été mandaté
par Dieu pour poser les principes de l'alliance entre Israël et
Yahvé, et il semble bien qu'il ait déjà formulé des applica-
tions concrètes du Décalogue en fonction de l'Israël de son
temps. Ce travail continua après sa mort, comme il l'avait
prévu, sous l'autorité des lévites, gardiens de son esprit et de
sa loi. Le clergé de Dan en particulier descendait de Moïse
(Jg **18** 30). Mais dans tous les sanctuaires yahvistes les lévites
avaient à donner des solutions pratiques dans les cas difficiles
(cf. Dt **33** 10). La loi de Moïse put ainsi continuer à s'appliquer
dans des conditions économiques et sociales nouvelles; et
dans certains cas on prit l'habitude de fixer par écrit, à la suite
les unes des autres, ces solutions nouvelles (cf. Os **8** 12).

Lors de la chute du royaume du Nord en 722, des lévites
fuyant la domination étrangère se réfugièrent à Jérusalem
et apportèrent avec eux certaines de ces collections. M. WELCH
nous paraît en effet avoir montré que nombre des dispositions
législatives insérées dans notre *Deutéronome* n'ont pu être
conçues et formulées que dans le royaume du Nord. La loi
sur les dîmes se relie à l'enseignement d'Osée prophète du

Nord. Le rituel deutéronomique de la Pâque se rapproche plus de celui des Samaritains au Garizim que du rituel judéen d'Ex 12-13. Comme les récits du Nord le Deutéronome appelle Horeb et non Sinaï la montagne où la Loi a été donnée et il s'appuie sur le Décalogue moral du Nord (Ex 20, cf. Dt 5) et non sur le Décalogue rituel du Sud (Ex 34). G. von Rad et A. Alt penchent en ce sens et ce dernier trouve la conception deutéronomique de la monarchie beaucoup plus proche des traditions du Nord que de la structure monarchique du Sud. Il semble donc qu'il se produisit pour ces textes législatifs le même travail de compilation que pour les Proverbes rassemblés par les gens d'Ézéchias (roi de Juda aux alentours de 700). M. le chanoine Ricciotti entre autres (*Histoire d'Israël*, I, 507) fait en effet remonter à cette époque la composition du *Deutéronome*. La loi de l'unité de sanctuaire s'explique fort bien à cette date : les anciens sanctuaires célèbres du Nord ont prévariqué et viennent de disparaître, tandis que celui de Jérusalem vient d'échapper à Sennachérib en 701, sert de résidence à l'arche sainte et est considéré par les prophètes comme le lieu par excellence des oracles divins (Am 1 1; Is 8 18, etc.). Le sanctuaire remontait à David, mais au delà de David, trop judéen, c'est à Moïse, médiateur de l'alliance, et à la tradition mosaïque, source de l'unité religieuse en Israël, qu'il fallait remonter. Aussi l'auteur du *Deutéronome* inclut-il sa compilation dans une sorte de commentaire théologique, discours mis dans la bouche de Moïse, le médiateur de l'alliance. Rappelant au début le Décalogue, fondement de l'alliance, l'auteur y rattachait toute la législation postérieure, venant de Dieu non directement, mais par l'intermédiaire de Moïse (cf. 5). Comme les inscriptions contemporaines et comme un document plus ancien que l'auteur avait sous les yeux, l'œuvre se terminait par des bénédictions et des malédictions suivant que l'on observerait ou non les avertissements ainsi rédigés. Enfin la Loi était solennellement déposée près de l'arche sous la garde du sacerdoce lévitique et servirait de témoin entre Dieu et Israël.

Les événements suivirent leur cours. Il fallut attendre la débâcle assyrienne et la restauration de Josias pour que le grand prêtre Hilqiyyahu retrouvât le livre et le fît lire au roi (2 R 22). Le roi chercha à l'appliquer. Il y a trop de rapports entre la réforme de Josias et les exigences deutéronomiques, pour ne pas admettre un lien entre le *Deutéronome* et cette réforme. Celle-ci échoua, mais le livre était désormais connu et les oracles de Jérémie, à la différence de ceux de ses prédécesseurs, témoignent de rapports certains (voir en particulier Jr 11).

Survient la catastrophe de 587-586. C'est alors que le yahvisme, à la différence des autres cultes de l'époque, montra toute sa vitalité. Parallèlement à la mission d'Ézéchiel, Dieu inspira une seconde édition du *Deutéronome,* dans le même esprit que la première, mais avec des vues plus précises sur l'exil, une insistance marquée sur les perspectives de délivrance (voir 4 25-31 et la fin du cantique du ch. 32), enfin une attention plus soutenue donnée aux idées de Sagesse. Cette édition ajouta les chapitres 1 à 4 qui insistent sur la conquête, image de la reconquête qu'espèrent les exilés; elle a ajouté un gros paragraphe aux malédictions du chapitre 28 et a complété le chapitre 31 en fonction du grand Cantique du chapitre 32; c'est ce Cantique et non plus la loi qui sert de témoin contre Israël. Ce même auteur a probablement ajouté quelques notes dans les discours (10 6-9) et dans les lois rédigées ou compilées par son prédécesseur (13). C'est peut-être lui aussi qui a opéré le travail final de fusion entre le *Deutéronome* et le document ancien. Le récit de la mort de Moïse a très probablement été rédigé par lui.

Ainsi se comprennent les disparates de l'actuel *Deutéronome,* ainsi se comprend l'unité de sa doctrine et de son inspiration. On ne saurait trop insister sur la part prépondérante de Moïse dans l'œuvre. Non qu'il lui en faille attribuer la rédaction présente, nous venons de le voir. Mais le fond est mosaïque, ne serait-ce que par le Décalogue. La religion et l'esprit sont mosaïques; car les mesures de détail prises par les nouveaux rédacteurs, et d'abord la centralisation du culte, n'entendent pas être une innovation, ce ne sont que des moyens pour assurer la pureté de la religion et du culte tels qu'ils existaient au temps du fondateur. De même que les anciennes tribus allaient consulter Yahvé près de l'arche à Cadès, c'est à Jérusalem qu'il faut maintenant aller, et non ailleurs, puisque c'est le lieu choisi par Yahvé pour y faire habiter son nom. Les prêtres lévites, héritiers de Moïse, ne voulaient faire que ce qu'il aurait fait à leur place, et c'est en effet grâce à des efforts comme ceux dont témoigne le *Deutéronome* que la religion de Moïse a pu traverser les perversions de la fin de la monarchie, la terrible épreuve de l'exil et parvenir jusqu'au Christ à travers la longue attente de l'époque juive.

Le Deutéronome dans l'Histoire Sainte. L'exposé qui précède permet de se rendre compte à quel point ce livre est enraciné dans l'histoire du salut, histoire même du peuple élu. Ce n'est ni le premier mot ni le dernier mot de la loi divine, mais c'est l'expression d'un puissant effort pour sauver le patrimoine religieux d'Israël, l'héritage de cette fraternité victorieuse qui avait pu établir Israël en Canaan et le consolider par la monarchie. Cet effort n'est pas isolé en Israël. Ce que font les législateurs d'Israël, les prophètes le font parallèlement. Le même approfondissement de la religion d'Israël se retrouve chez eux comme dans notre livre. Au VIIIe siècle av. J. C., Amos et Osée luttent contre les injustices sociales, et le dernier rappelle les exigences du Décalogue (Os **4** 2) avec la même force que le *Deutéronome* (**5**); le même prophète nous donne ce précieux témoignage que l'on a mis par écrit « beaucoup de la loi » de Yahvé (Os **8** 12). A la fin du siècle vient le grand Isaïe. Il offre peu de contacts littéraires avec le *Deutéronome*, mais c'est la même pensée, la même inquiétude : le grand danger pour le peuple c'est d'oublier son Dieu et de courir après d'autres formes de religion, d'autres moyens de salut. C'est Yahvé qu'il faut consulter (Is **8** 19 s) et dont il faut se souvenir

(Is **17** 10). Sans quoi les pires calamités sont à craindre (Is **1**; cf. Dt **28**).

Le prophète dont le *Deutéronome* est le plus proche dans son esprit et dans ses formules, c'est Jérémie. Bien que la question soit discutée, il paraît bien que Jérémie a connu le *Deutéronome* découvert sous le roi Josias et a pris position en faveur de la réforme qu'il inspirait (cf. Jr **11**). Comme le *Deutéronome*, le prophète célèbre l'amour de Yahvé pour son peuple (Jr **2**); il est moins ritualiste encore que lui : c'est le prophète de la religion intérieure, personnelle (Jr **31** 29-34; cf. Dt **30** 11-15). Tous deux réclament la circoncision du cœur (Dt **30** 6; Jr **4** 4) et non pas seulement celle de la chair. Tous deux doivent contempler la ruine de leur peuple et cette vision les déchire atrocement (Jr **9** 18).

Jérémie laissait entrevoir une délivrance (Jr **31**), un retour, une nouvelle alliance. C'est dans cet esprit que fut complété le *Deutéronome*. Et en ces pages notre livre rejoint la seconde partie d'Isaïe (Is **40-55**), qui décrivait le pardon, la nouvelle marche à travers le désert, la victoire sur les nations appelées à adorer le Dieu d'Israël, seul vrai Dieu. Et dans cette ligne les chapitres **1-4** du *Deutéronome* retracent la marche à travers le désert, esquissent des perspectives de délivrance (**4** 29-31), luttent contre l'idolâtrie (**4** 15-24); le grand cantique final (**32**) reprend une foule d'images de ces chapitres du livre d'Isaïe (voir les notes). Il en emprunte d'autres à Ézéchiel, un prophète de l'exil, qui décrit lui aussi le retour d'Israël et le nouveau partage de la terre sainte (cf. Dt **3** 12 s). C'est ainsi qu'avec notre livre, éclairé par les livres prophétiques, nous pouvons revivre un grand tournant par lequel Dieu va mener son peuple d'un État pécheur vers une Église sainte.

On peut également se rendre compte de la place du *Deutéronome* dans l'histoire du salut en comparant le code deutéronomique aux autres codes insérés dans le Pentateuque. C'est une étape très remarquable dans la réalisation par Dieu de son royaume, dans la structure de la communauté où il réunit ses fidèles et où il entend les diriger personnellement. L'archaïque code de l'alliance (Ex **20** 22-**23** 13) est destiné à une société encore très rudimentaire où il n'y a point de roi et où la prédominance appartient au possesseur de gros bétail qui devient agriculteur. Il y est plus question d'autels rudimentaires et de serments que de sanctuaires. Le *Deutéronome* au contraire connaît des rois et des institutions établies : juges, prêtres et prophètes. Il connaît les créances et pas seulement la richesse foncière (comparer Dt **15** 1 et Ex **23** 11). Tandis que le législateur du code de l'alliance ne consacre qu'un article au mariage (Ex **22** 15 s), et encore en fonction du conflit qui pourrait éclater entre deux familles, le *Deutéronome* lui consacre tout un chapitre. Le code de l'alliance canonise d'anciennes coutumes au nom de quelques impératifs religieux simples. Le *Deutéronome* approfondit davantage le cœur de l'homme, il est plus « humaniste » et fait place à la culture des Sages (comparer Dt **16** 19 et Ex **23** 8). Pour le code de l'alliance la loi est un impératif qui assure la paix entre des « prochains », pour le *Deutéronome* c'est une parole de Dieu, tout près du cœur de l'homme, qui fait vivre ensemble des frères (comparer Dt **22** 1-4 et Ex **23** 4 s).

Mais si nous comparons le code deutéronomique aux codes sacerdotaux, nous constatons bien d'autres développements. L'humanisme deutéronomique, qui n'a pas pu empêcher la débâcle de 586, a fait place à une notion très vive de la transcendance de « la sainteté » divine. La législation sur les institutions théocratiques s'est considérablement développée, et le rituel, très sommairement traité dans le *Deutéronome,* prend une place considérable. Israël n'est plus un État, encore moins une société de tribus pastorales, c'est une théocratie dont le cadre est formé par le sacerdoce et deux classes dans ce sacerdoce, les prêtres et les lévites, alors que le *Deutéronome* ne connaît que des « prêtres lévites ». La prise de conscience de la force et de la présence du péché s'est faite plus vive, mais aussi celle de la présence de Dieu dans son Temple et dans les rites qui s'y déploient.

<table>
<tr><td>

**L'influence
du Deutéronome.**

</td><td>

Ce n'est pas à dire que ce
nouveau courant ait fait dis-
paraître l'ancien. L'influence
du *Deutéronome* a été considé-

</td></tr>
</table>

rable. Déjà les deux noms de Josias et de Jérémie en témoi-
gnaient. C'est avec l'exil que les grandes thèses deutéronomiques pénètrent avec le plus de force la pensée israélite. C'est
alors que se rédige le livre des *Rois,* où toute l'histoire de la
monarchie est revue à la lumière de la doctrine deutéronomique de la fidélité à Yahvé et à son sanctuaire de Jérusalem,
contre lesquels ont péché Salomon et Jéroboam. Les malheurs
d'Israël et de Juda ne viennent pas d'une infidélité de Dieu à
ses promesses, mais de la négligence coupable du peuple élu
envers Yahvé et sa Loi.

La Loi ! Cette notion théologique d'une loi révélée et mise
par écrit va dominer toute l'époque juive. Elle doit la fermeté
de ses contours au *Deutéronome.* Le livre des *Chroniques* reprendra la réflexion du livre des *Rois* et les *Psaumes* chanteront la
Loi et l'amour qu'on lui doit. Il y a là un legs du *Deutéronome.* Dans la piété joyeuse du *Deutéronome,* les masses trou-
vèrent un correctif à ce que les conceptions légales peuvent
avoir d'étouffant sous l'influence sadducéenne et pharisienne.
Lorsque le Christ voudra affranchir les hommes d'un fardeau
intolérable, il lui suffira de rappeler la grande loi de l'amour
de Dieu, tel que le *Deutéronome* la formule, en la complétant
seulement par une prescription analogue du *Lévitique.*

Le christianisme gardera du *Deutéronome* cette notion vivante
de la fraternité entre les membres de la communauté choisie.
Les chrétiens parleront de loi du Christ comme le *Deutéronome* parlait de la loi de Dieu; il faudra garder les commandements du Christ (saint Jean) avec la même fidélité que la loi
de Dieu (Jn **14** 1**5**; cf. Dt **6** 2, etc.). Les fêtes chrétiennes auront
le même caractère joyeux que les fêtes deutéronomiques (**12**),
et la liturgie chrétienne aimera à reprendre certains textes de
ce livre, soit aux fêtes de saison comme les Quatre-Temps,
qui ont gardé le sens du sol et de ses produits, soit dans la

grande fresque d'histoire sainte du Samedi Saint, où les vues deutéronomiques sont sous-jacentes comme elles le sont au livre des *Rois*.

Les commentaires. Un autre aspect de cette influence toujours vivante sur la pensée chrétienne, c'est la masse d'études dont il a été l'objet. Le premier commentateur du *Deutéronome* paraît avoir été ORIGÈNE (Εις το Δευτερονομιον εκλογαι); ce ne sont que quelques notes sur certaines phrases relatives à tel ou tel point de théologie. Les développements de THÉODORET et de PROCOPE DE GAZA eurent beaucoup plus d'ampleur. Au moyen âge il faut surtout citer RABAN MAUR et BRUNO D'ASTI, à la Renaissance NICOLAS DE LYRE.

L'époque moderne avec ses nombreuses découvertes et les progrès de l'érudition a permis d'en aborder l'étude d'une manière sinon plus religieuse du moins plus scientifique. Les protestants ont particulièrement étudié notre livre. Citons les travaux de STEUERNAGL et de BERTHOLET sur la critique littéraire. Les commentaires de S. DRIVER (1895) et de SMITH (1918) sont encore précieux. L'étude de M. LÖHR (1925) est plus mince, tandis que J. HEMPEL a apporté une bonne contribution en vue de situer ce texte dans la vie d'Israël. G. HÖLSCHER (1922) a montré l'incompatibilité entre certaines vues classiques sur la composition de l'œuvre et le contenu des lois, mais il en a tiré quelques conclusions étranges qui n'ont guère été suivies. A. WELCH a repris le travail (1925, 1932) avec beaucoup de finesse et de sens religieux. C'est aussi le cas de VON RAD, qui a fait porter son effort sur la théologie du livre (1929, 1948). La traduction française de la Bible du Centenaire (Tony ANDRÉ, 1936) est consciencieuse et littéraire; nous avons cru devoir toutefois nous en écarter assez souvent. Dans son *Introduction to the Old Testament* (1941), R. PFEIFFER tend vers des vues plus classiques. Il nous semble que c'est aussi la tendance du commentaire juif de M. REIDER (1937).

Parmi les catholiques, citons l'important travail du P. DE

Hummelauer, paru en 1901. C'est à l'occasion de cette publication et de quelques autres que le P. Lagrange a exposé ses vues. Signalons les travaux de Junker (1933), de Clamer (1940) et de Mangenot.

Le texte.
Outre quelques fragments plus anciens, le texte original du *Deutéronome* nous est actuellement connu par des manuscrits : 1) hébreux, remontant jusqu'au Xe siècle de notre ère; 2) hébreux, mais d'écriture samaritaine (c'est le texte dit samaritain) remontant jusqu'au XIIe siècle; 3) grecs, remontant jusqu'au IVe siècle ap. J. C. (*Vaticanus*), voire, pour des fragments jusqu'au IIe siècle av. J. C. (papyrus Fouad); 4) syriaques, remontant jusqu'au Ve siècle de notre ère. Il faut enfin maintenant tenir compte des très nombreux fragments de Qumrân (hébreux).

Aucun de ces textes n'est exempt de fautes. La critique textuelle doit restituer le texte original (écrit en hébreu) à partir de ces données; elles sont d'ailleurs rarement en désaccord.

LE DEUTÉRONOME

I

DISCOURS D'INTRODUCTION

PREMIER DISCOURS DE MOÏSE

1. **Temps et lieu.** [1] Voici les paroles que Moïse adressa à tout Israël au delà du Jourdain. (Dans le désert, dans la Araba en face de Suph, entre Parân et Tophel, Labân, Haçérot et Di-Zahab. [2] Il y a onze jours de marche depuis l'Horeb, par la montagne de Séïr jusqu'à Cadès Barné*a*.) [3] Ce fut la quarantième année, le premier jour du onzième mois, que Moïse parla aux enfants d'Israël comme Yahvé le lui avait commandé. [4] Il avait battu Sihôn, roi des Amorites qui résidait à Heshbôn, et

---

a) Suph, étant ici une localité, paraît être le Suph de Nb **21** 14, plutôt que le Suph de la « mer de Suph » (« mer des Roseaux », Ex **10** 19), située près de l'Égypte et identifiée par des égyptologues avec la région du lac Menzaleh. Parân est le nom du désert situé entre le Sinaï-Horeb et le sud de la Terre Promise. Labân et Haçérot (Nb **33** 20) sont de ce côté, peut-être également Di-Zahab si d'après Gn **2** 11 on l'indentifie avec Havila (1 S **15** 7) « dont l'or (*zahab*) est bon ». La Araba est normalement la dépression qui fait suite à la mer Morte au sud. Enfin Tophel (actuellement Tafileh) est au S.-E. de la mer Morte. Cadès-Barné (Qadesh-Barnéa) est un ensemble de sources au sud de la Palestine où les Hébreux sont restés pendant la majeure partie du temps de l'Exode (actuellement ʿAïn Qedeis et lieux voisins). L'auteur résume rapidement le trajet des Hébreux depuis le Sinaï-Horeb jusqu'à la Transjordanie.

Og, roi du Bashân qui résidait à Ashtarot et à Édréï[a].
⁵ C'est au delà du Jourdain, au pays de Moab, que Moïse
commença à promulguer cette Loi. Il dit[b] :

Dernières instructions
à l'Horeb.

⁶ Yahvé notre Dieu nous
a ainsi parlé à l'Horeb :
« Vous avez assez séjourné
dans cette montagne. ⁷ Allez-
vous-en, partez, et allez à la montagne des Amorites, chez
tous ceux qui habitent la Araba, la Montagne, le Bas-Pays,
le Négeb et le bord de la mer, allez en terre de Canaan et
gagnez le Liban jusqu'au grand fleuve, l'Euphrate. ⁸ Voici
le pays que je vous ai livré; allez donc prendre possession
du pays que Yahvé a promis par serment à vos pères,
Abraham, Isaac et Jacob, et à leur postérité après eux[c]. »

⁹ Je vous ai dit alors : « Je ne puis porter seul la charge
de vous tous[d]. ¹⁰ Yahvé votre Dieu vous a multipliés et
vous voici nombreux comme les étoiles du ciel[e]. ¹¹ Yahvé
le Dieu de vos pères vous multipliera mille fois autant et
vous bénira comme il vous l'a dit ! ¹² Comment donc por-
terais-je seul vos fardeaux, vos charges et vos procès ?
¹³ Amenez donc des hommes habiles, perspicaces et éprouvés dans chacune de vos tribus, que j'en fasse vos chefs. »
¹⁴ Vous m'avez répondu : « Ce que tu proposes est bon. »
¹⁵ Je pris donc vos chefs de tribus, hommes sages[f] et
éprouvés, et je vous les donnai pour chefs : chefs de milliers, de centaines, de cinquantaines et de dizaines, et

---

a) Sur ces victoires, voir Nb **21** 21-35.

b) Ici commence le premier discours de Moïse. Après le rappel de la
conquête et des exigences de l'élection divine, il annonce l'exil comme le
châtiment de l'infidélité, mais ouvre la perspective de la conversion, du pardon et du retour.

c) Cf. Gn **12** 7; **15**; **26** 2-5; **28** 13-15.

d) Ce paragraphe reprend certaines données de Nb **11** 14, 16-17.

e) Cette image rappelle la promesse faite à Abraham (Gn **15** 5; **22** 17).

f) La sagesse est ici une habileté pratique.

scribes pour vos tribus *a*. ¹⁶ En ce même temps je prescri-
vis à vos juges : « Vous entendrez vos frères et vous ren-
drez la justice entre un homme et son frère ou un étranger
en résidence près de lui *b*. ¹⁷ Vous ne ferez pas acception
de personne en jugeant, mais vous écouterez le petit comme
le grand *c*. Vous ne craindrez pas l'homme, car le jugement
relève de Dieu. Si un cas est trop difficile pour vous *d*, vous
me le ferez porter pour que je l'entende. » ¹⁸ Je vous pres-
crivis alors tout ce que vous aviez à faire.

Incrédulité à Cadès.   ¹⁹ Nous quittâmes l'Horeb
et entrâmes en ce désert
grand et redoutable que vous
avez vu. Nous allions vers la montagne des Amorites,
comme Yahvé notre Dieu nous l'avait commandé, et
nous arrivâmes à Cadès Barné. ²⁰ Je vous dis alors : « Vous
voici arrivés à cette montagne des Amorites que Yahvé
notre Dieu nous donne. ²¹ Vois : Yahvé ton Dieu t'a livré
ce pays. Monte en prendre possession comme te l'a dit
Yahvé le Dieu de tes pères; sois sans peur et ne tremble
pas *e*. » ²² Vous vîntes tous me trouver pour me dire :
« Envoyons devant nous des gens pour explorer le pays;
ils nous feront rapport sur la route à suivre et sur les villes
où nous pourrons aller *f*. » ²³ L'avis me parut bon et je pris
parmi vous douze hommes, un par tribu. ²⁴ Ils prirent la

---

a) G porte « juges » au lieu de « tribus ». — Cf. Ex **18** 13-26. Dès le
Sinaï, Moïse a pourvu à une certaine organisation de la justice. Les scribes
étaient indispensables pour rédiger les contrats et les pièces officielles. Ils
avaient une autorité en sous-ordre.

b) C'est l'étranger à la tribu qui y reçoit hospitalité et protection.

c) Sur cette expression voir Lv **19** 15.

d) Un cas peut être « trop difficile », soit parce que le juge subit la pres-
sion d'un plaideur puissant, soit parce que le cas est obscur. Cf. **17** 8-13.

e) C'est là un thème favori de la littérature deutéronomique, voir plus
loin v. 29 et Jos **1** 6, 9.

f) Cf. Nb **13** et **14**.

direction de la montagne, y montèrent et atteignirent le val d'Eshkol*a* qu'ils parcoururent. ²⁵ Ils prirent avec eux des produits du pays, nous les apportèrent et nous firent ce rapport : « C'est un heureux pays que Yahvé notre Dieu nous a donné. » ²⁶ Mais vous avez refusé d'y monter et vous avez été rebelles à la voix de Yahvé votre Dieu, ²⁷ et vous avez déblatéré dans vos tentes en disant : « C'est en haine de nous que Yahvé nous a fait sortir du pays d'Égypte, pour nous livrer au pouvoir des Amorites et pour nous détruire. ²⁸ Où nous fait-on monter ? Nos frères nous ont découragés en disant : C'est un peuple plus grand et plus fort que nous, les villes sont grandes et leurs remparts montent jusqu'au ciel. Et même nous y avons vu des Anaqim*b*. »

²⁹ Je vous dis : « Ne tremblez pas, n'ayez pas peur d'eux. ³⁰ Yahvé votre Dieu qui marche à votre tête combattra pour vous, tout comme vous l'avez vu faire en Égypte. ³¹ Tu l'as vu aussi au désert : Yahvé ton Dieu te soutenait comme un homme soutient son fils*c*, tout au long de la route que vous avez suivie jusqu'ici. » ³² Mais

a) Vallée près d'Hébron (Nb **13** 24).

b) Les Anaqim, tout comme les Émim, les Rephaïm, les Zamzummim et les Zuzim (**2** 10-11, 20; **3** 11), représentaient les restes du peuplement préhistorique de la Palestine et de la Transjordanie (cf. vv. 20 s et Gn **14** 5). On les rattachait aux fabuleux Nephilim (Nb **13** 33 et Gn **6** 4), et on leur attribuait les monuments mégalithiques (cf. Dt **3** 11). Les Rephaïm s'étaient maintenus au pays de Bashân (Dt **3** 13; Jos **12** 4 s; **13** 12), mais en Judée même leur souvenir est gardé par le Val des Rephaïm au S.-O. de Jérusalem (Jos **15** 8; **18** 16; 2 S **5** 18), et les gens de David viennent à bout des derniers rejetons de Rapha, l'ancêtre éponyme (2 S **21** 16-22, cf. 1 Ch **20** 4-8). Le mot *rephaïm* désignait aussi les ombres dans le shéol (cf. Jb **26** 5 s). Les Anaqim constituaient encore, du temps de Josué, une aristocratie dans la montagne d'Hébron et la région maritime (Jos **11** 21 s; **14** 12-13; **15** 13-15; **21** 11).

c) Sur la paternité divine, voir plus loin **14** 1; **32** 6. On retrouve ce thème chez les Prophètes (Os **11** 1; Jr **31** 9; Is **63** 16). Il vient des origines d'Israël (Ex **4** 22).

en cette circonstance aucun d'entre vous ne crut en Yahvé votre Dieu, [33] lui qui vous précédait sur la route pour vous chercher un lieu de campement, dans le feu pendant la nuit pour éclairer votre route, et dans la nuée pendant le jour[a].

Instructions de Yahvé à Cadès[b]. [34] Yahvé entendit le bruit de vos paroles et dans sa colère il fit ce serment : [35] « Pas un seul de ces hommes, de cette génération perverse[c], ne verra cet heureux pays que j'ai juré de donner à vos pères, [36] excepté Caleb, fils de Yephunné[d] : lui le verra et à lui comme à ses fils je donnerai la terre qu'il a foulée, car il a suivi Yahvé sans défaillance. » [37] A cause de vous Yahvé s'irrita même contre moi[e] et me dit : « Toi non plus, tu n'y entreras pas. [38] C'est ton serviteur Josué, fils de Nûn, qui y entrera. Affermis-le, car c'est lui qui devra mettre Israël en possession du pays. [39] Mais vos petits enfants dont vous avez prétendu qu'ils allaient être livrés en butin, vos fils qui ne savent pas encore discerner le bien et le mal, ce sont eux qui y entreront, c'est à eux que je le donnerai et ce sont eux qui le posséderont. [40] Quant à vous, faites demi-tour et repartez au désert, dans la direction de la mer de Suph. »

[41] Vous m'avez alors répondu : « Nous avons péché contre Yahvé notre Dieu. Nous allons monter et combattre, comme Yahvé notre Dieu nous l'a commandé. »

---

a) Cf. Ex **13** 21 s.

b) Cf. Nb **14** 21-45.

c) Trois Mss hébr., Sam et G omettent « de cette génération perverse ».

d) Caleb, seul des explorateurs, avec Josué, avait exhorté le peuple à la confiance, Nb **13** 30 et **14** 6-9. Il recevra son héritage en Terre Promise, à Hébron, Jg **1** 12 s.

e) Sur cette faute de Moïse, cf. **3** 26 et la note.

Vous avez ceint chacun vos armes et vous vous êtes allégés[a] pour gravir la montagne. [42] Mais Yahvé me dit :
« Dis-leur : Ne montez pas et ne combattez pas. Je ne suis
pas au milieu de vous; ne vous faites pas battre par vos
ennemis. » [43] J'eus beau vous parler, vous ne m'avez pas
écouté et vous vous êtes rebellés contre la voix de Yahvé,
vous êtes montés présomptueusement à la montagne.
[44] L'Amorite habitant cette montagne est sorti à votre
rencontre, vous a poursuivis comme l'auraient fait des
abeilles[b] et vous a battus en Séïr jusqu'à Horma. [45] A
votre retour vous avez pleuré devant Yahvé; il n'écouta
pas vos cris et ne fit pas attention à vous. [46] Vous avez dû
demeurer de longs jours à Cadès, tout votre compte de
jours.

2. [1] Nous avons fait de-
Israël, Édom et Moab.   mi-tour et nous sommes par-
tis au désert, en direction de
la mer de Suph, comme Yahvé me l'avait ordonné. Pendant de longs jours nous avons tourné autour de la montagne de Séïr. [2] Yahvé me dit alors : [3] « Vous avez assez
tourné autour de la montagne : prenez la direction du
nord. [4] Et donne cet ordre au peuple : Vous allez passer
par le territoire de vos frères, les fils d'Ésaü, qui habitent
Séïr. Ils vous redoutent; mais faites attention : [5] n'allez
pas les provoquer. Car je ne vous donnerai rien de leur
pays, pas même la longueur d'un pied : c'est à Ésaü que
j'ai donné la montagne de Séïr pour domaine[c]. [6] La nour-

---

a) Au lieu de « vous vous êtes allégés » G porte « vous vous êtes groupés ».

b) Le Psalmiste reprend cette image (Ps **118** 12).

c) L'auteur tient à montrer que tous les descendants d'Abraham ont été,
comme Israël, établis par Yahvé sur un territoire qui appartenait primitivement à d'autres nations. Les Édomites, qui habitaient la montagne
de Séïr au sud de la mer Morte, se rattachaient à Ésaü (Gn **36** 1-8). L'auteur
parlera plus loin des Ammonites et des Moabites qui se rattachaient à Lot,
neveu d'Abraham (Gn. **19** 30-38).

riture que vous mangerez, achetez-la-leur à prix d'argent;
achetez-leur à prix d'argent l'eau que vous boirez. ⁷ Car
Yahvé ton Dieu t'a béni en toutes tes actions; il a veillé
sur ta marche à travers ce grand désert. Voici quarante
ans que Yahvé ton Dieu est avec toi sans que tu manques
de rien*a*. »

⁸ Nous avons donc passé au delà de nos frères, les fils
d'Ésaü qui habitent en Séïr, par la route de la Araba,
d'Élat et d'Éçyôn-Gébèr*b*; puis, changeant de direction,
nous prîmes la route du désert de Moab. ⁹ Yahvé me dit
alors : « N'attaque pas Moab*c*, ne le provoque pas au
combat; car je ne te donnerai rien de son territoire : c'est
aux fils de Lot que j'ai donné Ar pour domaine. ¹⁰ (Auparavant y demeuraient les Émim, nation grande, nombreuse
et de haute stature comme les Anaqim. ¹¹ On les considérait comme des Rephaïm*d*, tout comme les Anaqim,
mais les Moabites les appellent Émim. ¹² De même en
Séïr demeuraient auparavant les Horites*e*, que les fils
d'Ésaü dépossédèrent et exterminèrent pour s'établir à
leur place, ainsi que l'a fait Israël pour sa terre, l'héri-

---

a) Le Deutéronome insiste sur cette Providence spéciale de Dieu sur
Israël (**8** 2 s; **29** 5). C'est un thème biblique (Ex **33** 14-16; **34** 9-10; Ne **9**
20-21).

b) Les Israélites dépassent Édom avant de remonter vers le nord. Sur
ces événements, voir Nb **20** 14-21. — Sam ajoute ici un passage tiré de
Nb **20** 17 s.

c) Les Moabites s'étaient établis avant les Israélites sur la rive orientale
de la mer Morte, où se trouvent de belles terres à céréales (Mishôr).

d) Ancienne population de Syrie-Palestine. Les Émim sont une autre
nation préhistorique. Voir note *b*, p. 26.

e) Ces Horites sont peut-être les survivants des Hourrites des documents
cunéiformes, l'un des peuples non sémitiques du Proche Orient. Encore
nombreux à l'époque d'Abraham (cf. Gn **14** 6), ils furent absorbés par
les Édomites (cf. Dt **2** 22), quand ces derniers s'installèrent à l'est de la
Araba sur la montagne de Séïr : ce dernier nom servit aussi à désigner
l'ancêtre, et Gn **36** 20-30 donne la liste des clans issus de Séïr le Horite.
Ésaü a une femme et une bru horites, Gn **36** 1 s, 12, cf. 22, qui deviennent
des chefs de clan aux vv. 40 s, ce qui marque bien la fusion des deux peuples.

.tage reçu de Yahvé*.) ¹³ En route ! et passez le torrent
de Zéred*. »

**Arrivée
en Transjordanie.**

Nous passâmes donc le
torrent de Zéred. ¹⁴ De Cadès Barné au torrent de
Zéred notre errance avait
duré trente-huit ans; ainsi avait disparu du camp toute la
génération des hommes en âge de porter les armes, comme
Yahvé le leur avait juré*. ¹⁵ La main de Yahvé venait les
atteindre dans le camp, jusqu'à leur entière extinction.

¹⁶ Lorsque la mort eut fait disparaître du milieu du
peuple, jusqu'au dernier, les hommes en âge de porter les
armes, ¹⁷ Yahvé m'adressa ces paroles : ¹⁸ « Tu es en train
de traverser Ar, le pays de Moab, ¹⁹ et tu vas te trouver
devant les fils d'Ammon. Ne les attaque pas, ne les provoque pas; car je ne te donnerai rien du pays des fils
d'Ammon : c'est aux fils de Lot que je l'ai donné pour
domaine*. ²⁰ (On le considérait aussi comme un pays de
Rephaïm; des Rephaïm y habitaient auparavant, les Ammonites les appellent Zamzummim, ²¹ nation grande, nombreuse et de haute stature comme les Anaqim. Yahvé les
extermina devant les Ammonites, qui les dépossédèrent
et s'établirent à leur place, ²² comme il avait fait pour les
fils d'Ésaü, habitant en Séir, en exterminant devant eux
les Horites, qu'ils dépossédèrent, pour s'établir à leur
place jusqu'à ce jour. ²³ Ainsi encore des Avvites*, qui

---

a) On peut faire commencer cette note érudite au v. 10. Voir 2 5 et la
note.
b) Rivière de Transjordanie qui se jette au sud de la mer Morte.
c) Voir 1 35.
d) Les Ammonites, comme les Moabites, se rattachaient à Lot, neveu
d'Abraham (Gn 19 30-38). Voir 2 5 et la note.
e) Population sédentarisée du Sud. Le mot « camp » (litt. « enclos ») se
retrouve dans une série de noms de lieu.

habitaient des camps jusqu'à Gaza : les Kaphtorim[a], venus de Kaphtor, les exterminèrent et s'établirent à leur place.) 24 Levez le camp, partez, et passez le torrent de l'Arnon. Vois, je livre en ton pouvoir Sihôn, roi de Heshbôn, l'Amorite, ainsi que son pays. Commence la conquête; provoque-le au combat. 25 A partir d'aujourd'hui, je répands la terreur et la crainte de toi parmi les peuples qui sont sous tous les cieux : quiconque entendra le bruit de ton approche sera saisi de trouble et frémira d'angoisse. »

26 Du désert de Qedémot[c],

Conquête j'envoyai des messagers por-
du royaume de Sihôn [b]. ter à Sihôn, roi de Heshbôn,

ces paroles de paix : 27 « J'ai l'intention de traverser ton pays; j'irai mon chemin sans m'écarter ni à droite ni à gauche. 28 Les vivres que je consommerai, vends-les moi à prix d'argent; vends-moi aussi l'eau que je boirai. Laisse-moi seulement passer, 29 comme me l'ont accordé[d] les fils d'Ésaü qui habitent en Séïr et les Moabites qui habitent en Ar, jusqu'à ce que je passe le Jourdain pour aller au pays que Yahvé notre Dieu nous donne. »

30 Mais Sihôn, roi de Heshbôn, ne consentit pas à nous laisser passer chez lui; car Yahvé ton Dieu avait déterminé son esprit et endurci son cœur[e], afin de le livrer en

---

a) Ce sont les Philistins, venus de Crète (Kaphtor, Am **9** 7) et établis sur la côte vers 1200. Ils ont donné leur nom à la Palestine. Ils asservirent les Israélites au temps des Juges et de Saül. Vaincus par David, ils jouèrent encore un rôle important pendant toute la durée de la monarchie.

b) Sur cette conquête, voir Nb **21** 21-25 et Jg **11** 19-22.

c) Autre traduction : « de l'Orient » (les Israélites ont passé à l'est de Moab).

d) Voir **2** 6. Peut-être les Édomites ont-ils changé d'attitude. Cf. Nb **20** 20.

e) Sur cet endurcissement du cœur, voir Ex **4** 21. Cette image qui évoque entêtement et obstination ne fait pas encore la distinction entre ce que Dieu veut et ce que Dieu permet.

ton pouvoir, comme il l'est encore aujourd'hui. [31] Yahvé me dit : « Vois, j'ai commencé à te livrer Sihôn et son pays ; commence la conquête en t'emparant de son pays. » [32] Sihôn marcha à notre rencontre, avec tout son peuple, à Yahaç, pour nous combattre. [33] Yahvé notre Dieu nous le livra et nous le battîmes, lui, ses fils et tout son peuple. [34] Nous nous sommes alors emparés de toutes ses villes, et nous avons dévoué par anathème[a] les villes entières, hommes, femmes et enfants, sans rien laisser échapper, [35] sauf le bétail, qui fut notre butin, avec les dépouilles des villes prises. [36] Depuis Aroër qui est sur la falaise au-dessus du torrent de l'Arnon, et la ville qui est au fond du ravin[b], jusqu'à Galaad, il n'y eut pas pour nous de ville inaccessible ; Yahvé notre Dieu nous les livra toutes. [37] Du seul pays des Ammonites tu n'approchas point, pas plus de la région du torrent du Yabboq[c] que des villes de la montagne, ni de tout ce qu'avait interdit Yahvé notre Dieu.

Fin de l'établissement en Transjordanie.

3. [1] Nous prîmes alors la direction du Bashân et nous y montâmes. Og, roi du Bashân[d], marcha à notre

---

a) Par l'anathème, le conquérant s'interdisait de jouir de sa conquête, mais la sacrifiait entièrement à la divinité : tout était passé à feu et à sang. Cette pratique barbare, où le sens religieux des droits absolus de Dieu s'exprime dans la destruction impitoyable du peuple vaincu, joue son rôle provisoire dans les débuts de l'économie de la Révélation, en inculquant au peuple de Dieu, selon les catégories morales rudimentaires qu'il partageait avec l'ancien Orient, cette transcendance de Yahvé qui lui sera plus tard manifestée comme Paternité universelle et miséricordieuse : Ez **18** 23, 32 ; Sg **1** 13 ; Mt **5** 43-48. La règle sévère de l'anathème (Jos **6** 17) connaîtra des adoucissements (Nb **31** 15-23), en particulier dans le Deutéronome (**3** 7 ; **20** 13 s).

b) Il y avait deux quartiers à la ville, l'un en haut, l'autre en bas. De même Bet-Horôn-le-Haut et Bet-Horôn-le-Bas (Jos **16** 3-5).

c) Affluent oriental du Jourdain.

d) Le Bashân était une contrée propice aux troupeaux, à l'est du Jourdain et du lac de Génésareth. La conquête en est racontée Nb **21** 33-35.

rencontre, pour nous combattre à Édréï. ² Yahvé me dit :
« Ne le crains pas, car je l'ai livré en ton pouvoir, lui, tout
son peuple et son pays. Tu le traiteras comme tu as traité
Sihôn, le roi amorite, qui habite à Heshbôn. » ³ Yahvé
notre Dieu livra aussi en notre pouvoir Og, roi du Bashân,
et tout son peuple. Nous le battîmes et rien n'en réchappa.
⁴ Puis nous nous emparâmes de toutes ses villes; il n'y
eut cité que nous ne leur ayons prise : soixante villes, toute
la confédération d'Argob ᵃ, la capitale d'Og en Bashân,
⁵ toutes places fortes fermées de hautes murailles, munies
de portes et de barres; sans compter les villes des Perizzites ᵇ, fort nombreuses. ⁶ Nous les dévouâmes par anathème, comme nous avions fait pour Sihôn, roi de Heshbôn, dévouant à l'anathème la ville entière, hommes,
femmes et enfants; ⁷ mais nous fîmes main basse sur tout
le bétail et sur le butin de ces villes.

⁸ Ainsi avons-nous pris, en ce temps-là, le pays des deux
rois amorites d'au delà du Jourdain, depuis le torrent de
l'Arnon jusqu'au mont Hermon ᶜ ⁹ (les Sidoniens appellent
l'Hermon Siryôn, les Amorites le nomment Senir) :
¹⁰ toutes les villes du Haut-Plateau, tout le Galaad et tout
le Bashân jusqu'à Salka et Édréï, capitales d'Og en
Bashân. ¹¹ (Or Og, roi du Bashân, était le dernier survivant des Rephaïm : son lit est le lit de fer qu'on voit à
Rabba-des-Ammonites, long de neuf coudées et large de
quatre, en coudées communes ᵈ.)

---

a) Analogue à la confédération des villes philistines (cf. So **2** 5 s).
b) Les Perizzites sont les gens de la campagne, dont les villages ne
sont pas fortifiés.
c) C'est à l'Hermon que le Jourdain prend sa source. Cette montagne de 2.800 mètres domine le nord de la Palestine et de la Transjordanie.
d) Nouvelle note sur les populations disparues à la taille gigantesque
voir note *b*, p. 26). La coudée commune mesurait o m. 45. Ce lit « de fer »

¹² Nous avons alors pris possession de ce pays, à partir d'Aroër sur le torrent de l'Arnon. Je donnai à Ruben et à Gad la moitié de la montagne de Galaad, avec ses villes *a*. ¹³ A la moitié de tribu de Manassé, je donnai le reste de Galaad et tout le Bashân, royaume d'Og. (Toute la confédération de l'Argob, tout le Bashân, c'est ce qu'on appelle le pays des Rephaïm. ¹⁴ Yaïr, fils de Manassé, s'étant emparé de toute la confédération de l'Argob jusqu'aux frontières des Geshurites et des Maakatites, on a donné son nom à ces villes; qu'on appelle encore aujourd'hui Douars de Yaïr *b*.) ¹⁵ A Makir, je donnai le Galaad. ¹⁶ Aux Rubénites et aux Gadites je donnai depuis le Galaad jusqu'au torrent de l'Arnon, le milieu du torrent marquant la frontière, et jusqu'au Yabboq, le torrent marquant la frontière des Ammonites *c*. ¹⁷ La Araba et le Jourdain servaient de frontière, depuis Kinnérèt jusqu'à la mer de la Araba (la mer Salée *d*), au pied des rampes du Pisga à l'orient.

Dernières dispositions de Moïse.

¹⁸ Je vous donnai alors cet ordre : « Yahvé votre Dieu vous a donné ce pays pour domaine. Vous, hommes de guerre, vous prendrez tous vos armes et vous marcherez en tête de vos frères les enfants d'Israël; ¹⁹ seuls vos femmes, vos enfants et vos troupeaux (car je sais vos

---

3 14. *Après « villes », on omet « le Bashân »; Var. G*ᴮ *: « Bassemat ».*

(ou de basalte ferrugineux) devait être une curiosité géologique ou archéologique (sarcophage ou dolmen) que l'on montrait à Rabbat, capitale des Ammonites.

a) Voir le détail de cette installation en Nb **32**.

b) Sur les « Douars de Yaïr », cf. Nb **32** 41; Jg **10** 4.

c) Ruben, Gad, puis Makir, demi-tribu de Manassé, furent les premières tribus à recevoir l'attribution stable de territoires, les premières sédentarisées. Mais elles ne devaient pas se désolidariser des autres.

d) C'est la mer Morte. Voir Nb **34** 11-12.

troupeaux nombreux) resteront dans les villes que je vous ai données, [20] jusqu'à ce que Yahvé ait établi vos frères comme vous-mêmes, et qu'ils possèdent eux aussi les pays que Yahvé votre Dieu leur donne au delà du Jourdain; alors vous retournerez chacun dans les domaines que je vous ai donnés. » [21] Je donnai alors cet ordre à Josué : « Tu vois de tes yeux tout ce que Yahvé votre Dieu a fait à ces deux rois; Yahvé traitera de même tous les royaumes où tu vas passer. [22] Ne les crains point : c'est Yahvé votre Dieu qui combat pour vous[a]. »

[23] Je demandai alors une grâce à Yahvé : [24] « Mon Seigneur Yahvé, toi qui as commencé à faire voir à ton serviteur ta grandeur et ta puissance[b], toi dont personne aux cieux ou sur la terre n'égale les actions et les hauts faits, [25] ne pourrais-je passer là-bas, et voir cet heureux pays au delà du Jourdain, cette heureuse montagne, et le Liban ? » [26] Mais, à cause de vous[c], Yahvé s'irrita contre moi et ne m'exauça point. Il me dit : « Assez ! Ne m'en parle plus ! [27] Monte au sommet du Pisga, porte tes regards à l'occident, au nord, au midi et à l'orient; regarde de tes yeux, car tu ne passeras pas le Jourdain que voici. [28] Donne tes ordres à Josué, fortifie-le, confirme-le, car c'est lui qui passera, à la tête de ce peuple; à lui de les mettre en possession du pays que tu vas voir. »

[29] Nous sommes donc restés dans la vallée, tout auprès de Bet-Péor[d].

----

a) Ceci se rapproche plus de Jos **1** que de Nb **11** 29 et **27** 12-23.

b) Sur la puissance de Dieu, voir **5** 24; **11** 2-3, ainsi que Ex **15** 6-7 et Ps **86** 8.

c) Sur cette mystérieuse défaillance de Moïse à Cadès, cf. Nb **20** 12 s; Ps **106** 32 s. Il est possible qu'il y ait là un grief de ceux des Israélites qui pénétrèrent en Palestine par le sud (voir la note sur Nb **20** 12).

d) C'est à Bet-Péor (ou Baal-Péor) que les Israélites ont été contaminés par les cultes de Moab (Nb **25** 1-18). C'était le sanctuaire, la demeure (*Bet*) d'un Baal.

4. [1] Et maintenant, Is-
L'infidélité de Péor   raël, écoute les lois et les
et la vraie sagesse.   coutumes que je vous enseigne aujourd'hui pour que
vous les mettiez en pratique[a] : afin que vous viviez[b], et
que vous entriez pour en prendre possession dans le pays
que vous donne Yahvé le Dieu de vos pères. [2] Vous n'ajou-
terez rien à ce que je vous ordonne et vous n'en retranche-
rez rien, mais vous garderez les commandements de Yahvé
votre Dieu tels que je vous les prescris. [3] Vous voyez de
vos yeux ce qu'a fait Yahvé à Baal-Péor : quiconque fut
sectateur du Baal de Péor, Yahvé ton Dieu l'a exterminé
du milieu de toi; [4] mais vous qui êtes restés attachés à
Yahvé votre Dieu, vous êtes aujourd'hui tous vivants.
[5] Voyez, comme Yahvé mon Dieu me l'a commandé, je
vous enseigne des lois et des coutumes, pour que vous
les mettiez en pratique dans le pays dont vous allez prendre possession. [6] Gardez-les et mettez-les en pratique,
ainsi serez-vous sages[c] et avisés aux yeux des peuples.
Quand ceux-ci auront connaissance de toutes ces lois, ils
s'écrieront : « Il n'y a qu'un peuple sage et avisé, c'est
cette grande nation ! » [7] Quelle est en effet la grande nation
dont les dieux se fassent aussi proches que Yahvé notre
Dieu l'est pour nous chaque fois que nous l'invoquons[d] ?

---

a) Thème deutéronomique, cf. **5** 1; **6** 1; **8** 1; **11** 8-9.

b) Cette idée sera reprise par Ézéchiel (**18**; **36** 27 s). Cf. Lv **18** 5.

c) La sagesse est une qualité de l'âme qui permet de réussir sa vie; c'est
le coup d'œil qui discerne les vraies valeurs et permet de les atteindre par
des actions appropriées à travers les vicissitudes de ce monde. La vraie
sagesse, l'Israélite la possède par l'obéissance à la Loi qui lui a été révélée.
Il lui sera révélé que le salut lui sera donné par le don de la Sagesse divine
elle-même (Pr **8**).

d) Alors que les autres traditions du Pentateuque soulignent la distance
qui sépare Dieu de l'homme (cf. Ex **33** 20, etc.) le Dt insiste sur la condescen-
dance qui rapproche Dieu de son peuple : il habite au milieu de celui-ci
(**12** 5). Le même esprit deutéronomiste s'exprime dans le récit de la dédicace

⁸ Et quelle est la grande nation dont les lois et coutumes soient aussi justes*a* que toute cette Loi que je vous présente aujourd'hui ?

La révélation de l'Horeb et ses exigences.

⁹ Mais tiens-toi sur tes gardes. Ne va pas oublier ces choses que tes yeux ont vues, ni les laisser, en aucun jour de ta vie, sortir de ton cœur; enseigne-les au contraire à tes fils et aux fils de tes fils*b*. ¹⁰ Au jour où tu te tenais à l'Horeb en présence de Yahvé ton Dieu*c*, Yahvé me dit : « Assemble-moi le peuple, que je leur fasse entendre mes paroles, afin qu'ils apprennent à me craindre tant qu'ils vivront sur la terre, et qu'ils l'enseignent à leurs fils. » ¹¹ Et vous vous êtes alors approchés, pour vous tenir auprès de la montagne; la montagne était embrasée jusqu'en plein ciel — ciel obscurci de nuages ténébreux et retentissants ! ¹² Yahvé vous parla alors du milieu du feu; vous entendiez le bruit des paroles, mais vous n'aperceviez aucune forme, rien qu'une voix. ¹³ Yahvé vous révéla son alliance, qu'il vous ordonna de mettre en pratique, les dix Paroles*d* qu'il inscrivit sur deux tables de pierre. ¹⁴ Quant à moi, il

---

4 11. « *retentissants* » G ; *omis par H.*

---

du Temple (1 R **8** 10-29). On retrouve cette pensée dans Ez **48** 35. Le dernier mot sera donné par le N. T. (Jn **1** 14). Voir aussi Ps **145** 18; **147** 19 s.

a) La « justice » chez les Israélites évoque avant tout une idée de justesse, et par voie de conséquence seulement d'équité. Ces lois révélées à Israël sont parfaitement adaptées et permettent de résoudre heureusement les cas embarrassants de la vie sociale.

b) Ce rôle de la tradition orale en Israël se retrouve plus loin (**6** 20 s; **32** 7) et sera repris par les Psaumes (**44** 2; **78** 3) et les Prophètes (Jl **1** 3).

c) Cf. Ex **19** s.

d) Voir Ex **34** 28. Mais il semble qu'il s'agisse ici des commandements de Ex **20** 2-17 (comparer le v. 16 à Ex **20** 4-5).

m'ordonna en ce même temps de vous enseigner les lois et les coutumes que vous auriez à mettre en pratique dans le pays où vous pénétrez pour en prendre possession[a].

15 Prenez bien garde à vous-mêmes : puisque vous n'avez vu aucune forme, le jour où Yahvé, à l'Horeb, vous a parlé du milieu du feu, 16 n'allez pas prévariquer et vous faire une image sculptée représentant quoi que ce soit[b] : figure d'homme ou de femme, 17 figure de quelqu'une des bêtes de la terre, figure de quelqu'un des oiseaux qui volent dans le ciel, 18 figure de quelqu'un des reptiles qui rampent sur le sol, figure de quelqu'un des poissons qui vivent dans les eaux au-dessous de la terre[c]. 19 Quand tu lèveras les yeux vers le ciel, quand tu verras le soleil, la lune, les étoiles et toute l'armée des cieux, ne va pas te laisser entraîner à te prosterner devant eux et à les servir[d]. Yahvé ton Dieu les a donnés en partage à tous les peuples qui sont sous le ciel, 20 mais vous, Yahvé vous a pris et vous a fait sortir du creuset de fer, l'Égypte, pour que vous deveniez le peuple de son héritage, comme vous l'êtes encore aujourd'hui.

Perspectives de châtiment et de conversion.

21 A cause de vous, Yahvé s'est irrité contre moi; il a juré que je ne passerais pas le Jourdain et que je n'entrerais pas dans l'heureux pays qu'il te donne en héritage. 22 Oui, je vais mourir en ce pays-ci et je ne passerai pas ce Jourdain. Mais vous, vous allez le passer et prendre possession de cet heureux pays.

a) L'auteur distingue ainsi les « Paroles », c'est-à-dire les dix commandements écrits par Dieu même sur les Tables de la Loi (Ex **34** 28), et les « lois et coutumes » qui sont l'œuvre de Moïse inspiré par Dieu.
b) C'est un véritable commentaire du second commandement, cf. **5** 8 s.
c) Dans la cosmologie du temps, la terre reposait sur une masse aqueuse.
d) Ceci sera repris dans le Code (**17** 3). Cf. Sg **13** 2.

²³ Gardez-vous donc d'oublier l'alliance que Yahvé votre Dieu a conclue avec vous et de vous fabriquer une image sculptée de quoi que ce soit, malgré la défense de Yahvé ton Dieu; ²⁴ car Yahvé ton Dieu est un feu dévorant[a], un Dieu jaloux[b].

²⁵ Lorsque vous aurez engendré des enfants et des petits-enfants et que vous aurez habité longtemps le pays, quand vous aurez prévariqué, fabriqué quelque image sculptée, fait ce qui déplaît à Yahvé de manière à l'irriter, ²⁶ ce jour-là je prendrai à témoin contre vous les cieux et la terre[c] : vous devrez promptement disparaître[d] de ce pays dont vous allez prendre possession en franchissant le Jourdain. Vous n'y ferez plus de longs jours, car vous serez bel et bien anéantis. ²⁷ Yahvé vous dispersera parmi les peuples, et il ne restera de vous qu'un petit nombre[e], au milieu des nations où Yahvé vous aura conduits. ²⁸ Vous y servirez des dieux faits de main d'homme, du bois et de la pierre incapables de voir et d'entendre, de manger et de sentir.

²⁹ De là-bas, tu rechercheras Yahvé ton Dieu; et tu le trouveras si tu le cherches de tout ton cœur et de toute ton âme[f]. ³⁰ Dans ta détresse, toutes ces paroles t'attein-

---

4 29. « *tu rechercheras* » Sam Vulg ; « *vous rechercherez* » H.

---

a) Dès les origines d'Israël Yahvé s'est manifesté comme feu, que ce soit à Abraham (Gn **15** 17) ou à Moïse (Ex **3** 2). La Bible a toujours gardé l'image (Ex **13** 22; Is **33** 14; So **1** 18; He **12** 29).

b) Ne pas oublier que la « jalousie » dont il s'agit est l'excès même de l'amour. Cf. **5** 9; **6** 15; **32** 16, 21, etc.; Ex **20** 5; **34** 14; 2 Co **11** 2.

c) On songe à l'apostrophe qui ouvre le livre d'Isaïe (**1** 2).

d) Cette menace reparaît dans la littérature deutéronomique (Dt **28-29**; Jos **23** 16) et sacerdotale (Lv **26** 14-19).

e) L'auteur évoque ici le « reste » d'Isaïe et des Prophètes, reste qui seul traverse l'épreuve (Is **28** 5).

f) Comparer Jr **29** 13; Is **55** 6, et déjà Am **5** 4-6; Os **5** 15. Les Psaumes reprendront ce thème prophétique (Ps **27** 8; **105** 3 s).

dront*a*, mais à la fin des temps *b* tu reviendras à Yahvé ton Dieu et tu écouteras sa voix ; **31** car Yahvé ton Dieu est un Dieu miséricordieux qui ne t'abandonnera ni ne te détruira, et qui n'oubliera pas l'alliance qu'il a conclue par serment avec tes pères.

Grandeur de l'élection divine.

32 Interroge donc les anciens âges, qui t'ont précédé depuis le jour où Dieu créa l'homme sur la terre : d'un bout du ciel à l'autre y eut-il jamais parole aussi auguste ? En entendit-on de semblable ? **33** Est-il un peuple qui ait entendu la voix du Dieu vivant parlant du milieu du feu, comme tu l'as entendue, et soit demeuré en vie*e* ? **34** Est-il un dieu qui soit venu se chercher une nation au milieu d'une autre, par des épreuves, des signes, des prodiges et des combats, à main forte et à bras étendu*d*, et par de grandes terreurs — toutes choses que pour vous, sous tes yeux, Yahvé votre Dieu a faites en Égypte*e* ?

35 C'est à toi qu'il a donné de voir tout cela, pour que tu saches que Yahvé est le vrai Dieu et qu'il n'y en a pas

---

33. « *vivant* » G Sam ; *omis par H.*

a) Les Paroles de Dieu sont ici comme personnalisées. — G et Sam rattachent « dans ta détresse » au v. précédent.

b) L'auteur vient de développer des perspectives d'exil (cf. 2 R **17** 6 ; **25** 8 s). Il envisage maintenant une conversion « à la fin des temps » (litt. « dans la suite des temps »). Chez les Prophètes cette expression vise l'établissement définitif du règne de Dieu, l'époque de la nouvelle alliance.

c) Cf. Ex **33** 20.

d) Image de la puissance de Dieu. Dieu a donné des signes à Israël pour discerner sa présence. Cf. Jr **32** 21 ; Ps **40** 6.

e) Ce passage affirme l'élection d'Israël, qui seul a pour Dieu le vrai Dieu, et qui seul aura pour roi l'Emmanuel du salut (Is **8** 8 et 10 ; **9** 5-6). Mais quand la « hutte de David » sera relevée elle possédera le reste d'Édom (Am **9** 12), qui représente les nations coupables (Am **1** 11 s ; Is **63** 1-6), et au Jour de Yahvé « tous les survivants de toutes les nations qui auront marché contre Jérusalem monteront d'année en année pour se prosterner devant le roi Yahvé » (Za **14** 16). Le salut est universel (Is **49** 6).

d'autre*. ³⁶ Du ciel il t'a fait entendre sa voix pour t'ins-
truire, et sur la terre il t'a fait voir son grand feu, et du
milieu du feu tu as entendu ses paroles. ³⁷ Parce qu'il a
aimé tes pères et qu'après eux il a élu leur postérité, il t'a
fait sortir d'Égypte en manifestant sa présence et sa puissance, ³⁸ il a dépossédé devant toi des nations plus grandes
et plus puissantes que toi, il t'a fait entrer dans leur pays
et te l'a donné en héritage, comme il le reste encore
aujourd'hui*.

³⁹ Sache-le donc aujourd'hui et médite-le dans ton cœur :
c'est Yahvé qui est Dieu là-haut dans le ciel comme ici-
bas sur la terre, lui et nul autre*. ⁴⁰ Garde ses lois et ses
commandements que je te prescris aujourd'hui, afin
d'avoir, toi et tes fils, bonheur et longue vie sur la terre
que Yahvé ton Dieu te donne pour toujours*.

SECOND DISCOURS DE MOÏSE*

Temps et lieu.

⁴¹ Moïse choisit alors trois
villes au delà du Jourdain,
à l'orient, ⁴² où pourrait trou-
ver refuge le meurtrier qui aurait tué son prochain invo-

---

a) Cf. Ex **20** 3; Dt **32** 39; Is **43** 10-13; Mc **12** 32.
b) Autre thème deutéronomique, cf. **7** 1; **9** 1; **21** 23; Jos **2** 11.
c) Profession de foi monothéiste, cf. **6** 4.
d) Ici se termine le premier « discours » de Moïse : après le rappel de
la conquête, il envisage qu'Israël perdra la Terre Promise par son infidélité,
mais il ouvre la perspective du retour vers Yahvé, du pardon et du don de
la vie (cf. Is **65** 20; Za **8** 4) et de la terre (Ez **36** 27; Mt **5** 4).
e) Le second discours commence comme le premier par une introduction historique. Il ne s'agit plus du voyage mais de la conquête. Le premier
discours avait pour thème la prise de possession de la Terre Promise,
celui-ci exposera les fondements de la Loi. Tous deux sont précédés par
un acte de juridiction de Moïse : là établissement de juges, ici droit d'asile
(cf. Ex **21** 13; Dt **19** 1-13; Nb **35** 11-34; Jos **20** 1-8). On ne saurait donner
trop d'importance à ces villes saintes dans le développement de la législation israélite.

lontairement, sans avoir eu auparavant de haine contre lui : il pourrait, s'enfuyant dans une de ces villes, sauver sa vie. **43** C'étaient, pour les Rubénites, Béçèr, dans le désert, sur le Haut-Plateau; pour les Gadites, Ramot en Galaad; pour les Manassites, Golân en Bashân.

44 Voici la Loi que Moïse présenta aux enfants d'Israël. **45** Voici les instructions[a], les lois et les coutumes que Moïse donna aux enfants d'Israël à leur sortie d'Égypte, **46** au delà du Jourdain, dans la vallée proche de Bet-Péor, au pays de Sihôn, roi amorite résidant à Heshbôn. Moïse et les enfants d'Israël l'avaient battu à leur sortie d'Égypte **47** et s'étaient emparés de son pays, ainsi que du pays d'Og, roi du Bashân, — tous deux rois amorites au delà du Jourdain à l'orient[b], **48** depuis Aroër qui est sur la falaise au-dessus du torrent de l'Arnon jusqu'au mont Siryôn (c'est l'Hermon), — **49** et de toute la Araba au delà du Jourdain à l'orient, jusqu'à la mer de la Araba, au pied des pentes du Pisga.

5. **1** Moïse convoqua tout Israël et leur dit :

Le Décalogue[c]. Écoute, Israël, les lois et les coutumes que je prononce à vos oreilles. Apprenez-les et gardez-les pour les mettre en pratique.

---

a) Ou « témoignages », comme des décrets affichés témoignant contre les transgresseurs éventuels (cf. **31** 26).

b) Reprise de ce qui a été dit **2** 26-3 17.

c) Le Décalogue est donné en tête du discours. C'est le fondemènt de l'Alliance qui assure à Israël la protection divine. Ce texte se retrouve en Ex **20** 2-17. Quelques variantes (sur le sabbat, la récompense promise à la piété filiale, les différentes convoitises) permettent de supposer que l'énoncé primitif des « dix Paroles » était plus bref. Peut-être la « première Table » comprenait-elle les commandements envers Dieu et envers les parents, la « seconde Table » ceux qui concernent le prochain (tu ne tueras pas, etc.). Le trait essentiel de ce texte est de lier les devoirs envers Dieu aux devoirs envers le prochain. Ainsi se trouve souligné le caractère moral de Yahvé, à la différence des autres dieux dont les exigences se bornaient

² Yahvé notre Dieu a conclu avec nous une alliance à l'Horeb. ³ Ce n'est pas avec nos pères que Yahvé a conclu cette alliance mais avec nous, nous-mêmes qui sommes ici aujourd'hui tous vivants. ⁴ Sur la montagne, au milieu du feu, Yahvé vous a parlé face à face, ⁵ et moi je me tenais alors entre Yahvé et vous pour vous faire connaître les paroles de Yahvé; car, redoutant le feu, vous n'étiez pas montés sur la montagne[a]. Il dit :

⁶ « Je suis Yahvé ton Dieu, qui t'ai fait sortir du pays d'Égypte, de la maison de servitude.   ‖ Ex **20** 2-17

⁷ « Tu n'auras pas d'autres dieux que moi[b].

⁸ « Tu ne feras aucune image sculptée de rien qui ressemble à ce qui est dans les cieux là-haut, ou sur la terre ici-bas, ou dans les eaux au-dessous de la terre. ⁹ Tu ne te prosterneras pas devant ces images[c] ni ne les serviras. Car moi, Yahvé, ton Dieu, je suis un Dieu jaloux, qui punis la faute des pères sur les enfants, les petits-enfants et les arrière-petits-enfants, pour ceux qui me haïssent, ¹⁰ mais qui fais grâce à des milliers, pour ceux qui m'aiment et gardent mes commandements.

¹¹ « Tu ne prononceras pas le nom de Yahvé ton Dieu

---

5 5. *« les paroles » Vers.*; *« la parole » H.*

---

au domaine cultuel. Dès les débuts du prophétisme canonique, Amos (**2** 6 s) et Osée (**4** 1) appuient sur ces commandements leur prédication; et le Christ n'exigera rien d'autre pour la vie éternelle (Mc **10** 17-22), mais il assurera à ses fidèles la grâce qui permet de les observer.

a) Cf. **4** 1-24.

b) « Pas d'autres dieux que moi », litt. « pas d'autres dieux devant ma face », ce qui peut vouloir dire : soit « pas d'autres dieux en ma présence », affirmation du monothéisme en Israël où Yahvé est présent d'une présence invisible mais réelle; soit « pas de dieux intercesseurs entre moi et vous », affirmation de la présence immédiate de Dieu dans son peuple sans que celui-ci ait à recourir à des dieux intermédiaires, comme on le voit sur maintes figurations de scènes religieuses dans l'Ancien Orient.

c) Litt. « devant eux »; soit les dieux du v. 7, soit les images du v. 8.

à faux, car Yahvé ne laisse pas impuni celui qui prononce son nom à faux[a].

¹² « Observe le jour du sabbat[b] pour le sanctifier, comme te l'a commandé Yahvé, ton Dieu. ¹³ Pendant six jours tu travailleras et tu feras tout ton ouvrage, ¹⁴ mais le septième jour est un sabbat pour Yahvé ton Dieu. Tu n'y feras aucun ouvrage, toi, ni ton fils, ni ta fille, ni ton serviteur, ni ta servante, ni ton bœuf, ni ton âne ni aucune de tes bêtes, ni l'étranger qui réside chez toi. Ainsi, comme toi-même, ton serviteur et ta servante pourront se reposer[c]. ¹⁵ Tu te souviendras que tu as été en servitude au pays d'Égypte et que Yahvé ton Dieu t'en a fait sortir d'une main forte et d'un bras étendu; c'est pourquoi Yahvé ton Dieu t'a commandé de garder le jour du sabbat.

¹⁶ « Honore ton père et ta mère[d], comme te l'a commandé Yahvé ton Dieu, afin d'avoir longue vie et bonheur sur la terre que Yahvé ton Dieu te donne.

¹⁷[e] « Tu ne tueras pas.

¹⁸ « Tu ne commettras pas d'adultère.

¹⁹ « Tu ne voleras pas.

²⁰ « Tu ne porteras pas de faux témoignage contre ton prochain[f].

²¹ « Tu ne convoiteras pas la femme de ton prochain, tu ne désireras ni sa maison, ni son champ, ni son servi-

---

a) Il s'agit du serment. Yahvé est un Dieu moral. Son nom ne doit pas être invoqué à l'appui d'un mensonge.

b) Le mot veut dire repos, chômage, cessation. « Sanctifier » quelque chose, c'est le mettre en dehors du cours normal des choses pour le mettre en rapport avec Dieu.

c) G[B] insère ici une phrase tirée de Ex **20** 11.

d) Ce sera un thème de la littérature de sagesse (Pr **10** 1; Si **3** 1-16).

e) Les vv. 17-20 ne font qu'un seul v. dans G et Vulg.

f) Traduction moins probable : « en faveur de ton prochain », contre un autre.

teur ou sa servante, ni son bœuf ou son âne : rien de ce qui est à lui. »

19 ²²ᵃ Telles sont les paroles que vous adressa Yahvé quand vous étiez tous assemblés sur la montagne. Il vous parla du milieu du feu, dans la nuée et les ténèbres, d'une voix forte. Il n'y ajouta rien et les écrivit sur deux tables de pierre ᵇ qu'il me donna.

20

²³ Or, lorsque vous eûtes
Médiation de Moïse ᶜ. entendu cette voix sortir des
ténèbres, tandis que la montagne était en feu, vous tous, chefs de tribus et anciens,
21 vous vîntes à moi ²⁴ et vous me dites : « Voici que nous avons vu Yahvé notre Dieu, sa gloire et sa grandeur, et que nous avons entendu sa voix du milieu du feu. Nous avons constaté aujourd'hui que Dieu peut parler à l'homme,
22 et l'homme rester en vie ᵈ. ²⁵ Mais pourquoi maintenant devrions-nous mourir, si ce grand feu allait nous consumer, ou si, entendant encore la voix de Yahvé notre Dieu,
23 nous allions périr ? ²⁶ Est-il en effet un être de chair qui puisse rester en vie, après avoir entendu comme nous la
24 voix du Dieu vivant parlant du milieu du feu ? ²⁷ Toi, approche pour entendre tout ce que dira Yahvé notre Dieu, puis tu nous répéteras ce que Yahvé notre Dieu t'aura dit; nous l'écouterons et le mettrons en pratique ᵉ. »
25 ²⁸ Yahvé entendit ce que vous disiez et il me dit : « J'ai

---

a) Sam insère ici plusieurs lignes presque entièrement copiées de **28** 4-5 et **11** 30-34.

b) Les actes solennels en Égypte et en Mésopotamie étaient gravés sur la pierre. Les autres textes hébreux seront d'ordinaire écrits sur rouleaux. Pour ce v. voir **4** 12-13.

c) Cf. Ex **20** 18-21.

d) Cf. Ex **33** 20 : « Yahvé dit : ... L'homme ne peut me voir et vivre. » Mais Dieu par la révélation judéo-chrétienne surmonte cette impossibilité et achemine l'homme vers la vision face à face.

e) C'est le peuple lui-même qui a demandé à Moïse d'être le médiateur de cette alliance à laquelle il sera infidèle. Mais il s'est engagé, cf. Ex **19** 8 ; **24** 3.

entendu les paroles de ce peuple. Tout ce qu'ils t'ont dit
26 est bien. 29 Ah ! si leur cœur pouvait toujours être ainsi,
pour me craindre et garder mes commandements en sorte
27 qu'ils soient heureux à jamais, eux et leurs fils. 30 Va leur
28 dire : ' Retournez à vos tentes.' 31 Mais toi, tu te tiendras
ici auprès de moi, je te dirai tous les commandements,
les lois et les coutumes que tu leur enseigneras et qu'ils
mettront en pratique dans le pays que je leur donne. »

29

**L'amour de Yahvé,
essence de la Loi.**

32 Gardez et mettez en
pratique ! Ainsi vous l'a commandé Yahvé votre Dieu.
Ne vous écartez ni à droite ni
30 à gauche[a]. 33 Vous suivrez tout le chemin que Yahvé votre
Dieu vous a tracé, alors vous vivrez, vous aurez bonheur et
longue vie dans le pays dont vous allez prendre possession.

6. 1 Tels sont les commandements, les lois et les coutumes[b] que Yahvé votre Dieu a ordonné de vous enseigner, afin que vous les mettiez en pratique dans le pays
dont vous allez prendre possession. 2 Ainsi, si tu crains
Yahvé ton Dieu tous les jours de ta vie, si tu observes
toutes ses lois et ses commandements que je t'ordonne
aujourd'hui, tu auras longue vie, toi, ton fils et le fils de
ton fils. 3 Puisses-tu écouter, Israël, garder et pratiquer
ce qui te rendra heureux et te multipliera, ainsi que te l'a
dit Yahvé, le Dieu de tes pères, en te donnant un pays
où ruissellent le lait et le miel !

4[c] Écoute, Israël : Yahvé notre Dieu est le seul Yahvé[d].

---

a) Sur cette expression, cf. Jos 1 7.
b) Sur cette formule, cf. 4 44. Mais ces commandements ne seront donnés
qu'à la fin du discours.
c) G ajoute en tête du v. : « Et ces lois et coutumes que Yahvé a prescrites
aux enfants d'Israël quand ils sortirent d'Égypte, écoute(-les), Israël :
Yahvé... »
d) Autre traduction parfois proposée : « Écoute, Israël, Yahvé notre

⁵ Tu aimeras Yahvé ton Dieu de tout ton cœur, de toute ton âme et de tout ton pouvoir*a*. ⁶ Que ces paroles que je te dicte aujourd'hui restent gravées dans ton cœur ! ⁷ Tu les répéteras à tes fils, tu les leur diras aussi bien assis dans ta maison que marchant sur la route, couché aussi bien que debout; ⁸ tu les attacheras à ta main comme un signe, sur ton front comme un bandeau*b*; ⁹ tu les écriras sur les poteaux de ta maison et sur tes portes.

¹⁰ Lorsque Yahvé ton Dieu t'aura conduit au pays qu'il a juré à tes pères, Abraham, Isaac et Jacob, de te donner*c*, aux villes grandes et prospères que tu n'as pas bâties, ¹¹ aux maisons pleines de toutes sortes de biens, maisons que tu n'as pas remplies, aux puits que tu n'as pas creusés, aux vignes et aux oliviers que tu n'as pas plantés, lors donc que tu auras mangé et que tu te seras rassasié, ¹² garde-toi d'oublier Yahvé qui t'a fait sortir du pays d'Égypte, de la maison de servitude. ¹³ C'est

---

Dieu, Yahvé seul. » Mais l'expression semble bien être une affirmation de monothéisme, cf. **4** 35. Elle deviendra le début d'une prière dite *Shema* qui fera le fond de la piété juive.

a) Cet amour envers Dieu, qui répond à l'amour de Dieu pour son peuple (**4** 37; **7** 8; **10** 15), inclut la crainte de Dieu, l'obligation de son service et l'observance de ses préceptes (ici v. 13; **10** 12-13; **11** 1; cf. **30** 2). Ce commandement d'amour ne se trouve pas explicitement en dehors du Dt, mais l'équivalent est donné par 2 R **23** 25 et par Os **6** 6. A défaut de précepte, le sentiment de l'amour envers Dieu traverse les livres prophétiques, surtout Osée et Jérémie, et les Psaumes. Jésus, citant Dt **6** 5, donnera comme plus grand commandement l'amour de Dieu (Mt **22** 37 p), un amour qui s'allie à la crainte filiale mais exclut la crainte servile (1 Jn **4** 18). Ce commandement résume tous les autres (Rm **13** 8-9).

b) Allusion aux tatouages religieux pratiqués au nom d'un dieu. On ne peut ainsi tatouer tout un texte de loi comme l'unique nom d'un dieu, d'où cette prescription de s'attacher des feuillets de la Loi. A l'époque juive on prendra cette prescription à la lettre, d'où le port des phylactères (écrits contenant les vv. de la Loi) au poignet et au front. Cf. Mt **23** 5. Le Deutéronome revient sur ce signe en **11** 18-21. En Ex **13** 9, 16 ce sont des rites et non des paroles qui en jouent le rôle.

c) Nouvelle insistance sur la gratuité du nom divin, cf. **8** 18; Jos **24** 13.

Yahvé ton Dieu que tu craindras, lui que tu serviras,
c'est par son nom que tu jureras.

¹⁴ Ne suivez pas d'autres

Appel à la fidélité.   dieux, d'entre les dieux des
nations qui vous entourent^a,
¹⁵ car c'est un Dieu jaloux que Yahvé ton Dieu qui réside
au milieu de toi. Sa colère s'enflammerait contre toi et il
te ferait disparaître de la face de la terre. ¹⁶ Vous ne mettrez pas Yahvé votre Dieu à l'épreuve, comme vous
l'avez mis à l'épreuve à Massa^b. ¹⁷ Vous garderez les commandements de Yahvé votre Dieu, ses instructions et ses
lois qu'il vous a prescrites, ¹⁸ et vous ferez ce qui est juste
et bon aux yeux de Yahvé afin d'être heureux, et de
t'emparer de l'heureux pays dont Yahvé a juré à tes pères
¹⁹ qu'il en chasserait tous tes ennemis devant toi; ainsi
l'a dit Yahvé.

²⁰ Lorsque demain ton fils te demandera^c : « Qu'est-ce
donc que ces instructions, ces lois et ces coutumes que
Yahvé notre Dieu vous a prescrites ? » ²¹ tu diras à ton
fils : « Nous étions esclaves de Pharaon, en Égypte, et
Yahvé nous a fait sortir d'Égypte par sa main puissante.
²² Yahvé a accompli sous nos yeux des signes et des pro-
diges grands et terribles contre l'Égypte, Pharaon et
toute sa maison. ²³ Mais nous, il nous a fait sortir de là
pour nous conduire dans le pays qu'il avait promis par
serment à nos pères, et pour nous le donner. ²⁴ Et Yahvé
nous a prescrit de mettre en pratique toutes ces lois, afin
de craindre Yahvé notre Dieu, d'être toujours heureux

---

a) Cette mise en garde conte l'infidélité se trouve aussi en Ex **23** 32 s
et les Prophètes Osée et Jérémie.

b) Cf. Ex **17** 1-7 et Nb **20** 2-13.

c) Cette interrogation joue encore un rôle dans le rituel juif de la Pâque.
Cf. **12** 26 s; **13** 8.

et de vivre, comme il nous l'a accordé jusqu'à présent.
²⁵ Telle sera notre justice : garder et mettre intégralement
en pratique tous ces commandements devant Yahvé notre
Dieu, comme il nous l'a prescrit. »

7. ¹ Lorsque Yahvé ton
Israël peuple séparé *a*.   Dieu t'aura fait entrer dans
le pays dont tu vas prendre
possession, des nations nombreuses tomberont devant
toi : les Hittites, les Girgashites, les Amorites, les Cananéens, les Perizzites, les Hivvites, les Jébuséens *b*, sept
nations plus nombreuses et plus puissantes que toi. ² Yahvé
ton Dieu te les livrera et tu les battras. Tu les dévoueras
par anathème. Tu ne concluras pas d'alliance avec elles,
tu ne leur feras pas grâce. ³ Tu ne contracteras pas de
mariage avec elles, tu ne donneras pas ta fille à leur fils,
ni ne prendras leur fille pour ton fils. ⁴ Car ton fils serait
détourné de me suivre; il servirait d'autres dieux; et la
colère de Yahvé s'enflammerait contre vous et il t'exter-
minerait promptement. ⁵ Mais voici comment vous devrez

---

7 4. « *ton fils serait détourné* » *conj.*; « *il détournerait ton fils* » *H.* — « *il servirait* » *Vers.*; « *ils serviraient* » *H.*

---

a) L'élection divine fait d'Israël un peuple à part, saint, qui doit avant
tout éviter toute contamination susceptible d'entacher sa fidélité et ses
traditions.

b) Cette liste stéréotypée de six ou sept peuplades pré-israélites de
Palestine se retrouve avec quelques variantes en **20** 17 et en Gn **15** 20;
Ex **3** 8, 17; **13** 5; **23** 23; **33** 2; **34** 11; Jos **3** 10; **9** 1; **11** 3; **12** 8; **24** 11;
Jg **3** 5; 1 R **9** 20; Esd **9** 1; Ne **9** 8; 2 Ch **8** 7. Les Cananéens représentent
le fond de la population sémitique de Palestine. Les Amorites sont une
vague sémitique postérieure, arrivée à la fin du IIIᵉ millénaire. La tradition
« yahviste » préfère le premier nom, la tradition « élohiste » emploie surtout
le second; Jos **11** 3 les distingue géographiquement, cf. Jos **9** 10. Les
Hittites sont un peuple d'Asie Mineure, dont le nom est appliqué impro-
prement à un groupe non sémitique de Palestine, Gn **23**. Les Girgashites,
Perizzites, Hivvites tiennent peu de place. Les Jébuséens sont les anciens
habitants de Jérusalem (2 S **5** 6 s).

agir à leur égard : vous démolirez leurs autels, vous briserez leurs stèles, vous couperez leurs pieux sacrés et vous
brûlerez leurs idoles[a]. ⁶ Car tu es un peuple consacré[b] à
Yahvé ton Dieu; c'est toi que Yahvé ton Dieu a choisi
pour son peuple à lui, parmi toutes les nations qui sont
sur la terre[c].

**L'élection
et la faveur divine.**

⁷ Si Yahvé s'est attaché à
vous et vous a choisis, ce
n'est pas que vous soyez les
plus nombreux de tous les
peuples : car vous êtes les moins nombreux d'entre tous
les peuples. ⁸ Mais c'est par amour pour vous et pour
garder le serment juré à vos pères, que Yahvé vous a fait
sortir à main forte et t'a délivré de la maison de servitude,
du pouvoir de Pharaon, roi d'Égypte. ⁹ Tu sauras donc
que Yahvé ton Dieu est le vrai Dieu, le Dieu fidèle qui
garde son alliance et son amour pour mille générations
à ceux qui l'aiment et gardent ses commandements,

------

a) Les *stèles* étaient des monolithes allongés, de forme plutôt cylin-
drique, tels qu'on en a retrouvé sur le haut lieu de Gézer. Peut-être survi-
vances des symboles phalliques des cultes de fécondité, ces stèles avaient
des significations variées dans les religions sémitiques : témoin, mémorial,
statue, maison du dieu... Les *pieux sacrés* (*ashéras*) paraissent être l'emblème
de la divinité féminine, peut-être organe témoin du bois sacré, signe de
fécondité végétale comme la stèle eût été signe de fécondité animale. Les
idoles étaient des statues de bois, de dimensions restreintes, avec revêtement
de métal.

b) C'est le même mot qui signifie saint, sacré et consacré.

c) Comme à **14** 2, c'est l'affirmation de l'élection d'Israël. Dieu est allé
« se chercher un peuple » avec des moyens miraculeux (**4** 34, cf. **4** 20;
26 7-8). Les motifs de ce choix sont donnés ici, vv. 7-8 : l'amour et la
fidélité aux promesses faites gratuitement aux Pères (cf. **4** 37; **8** 18; **9** 5;
10 15). Ce choix est scellé par l'Alliance (ici v. 9; **5** 2-3), et fait d'Israël
un peuple consacré (ici v. 6 et **26** 19). Cette théologie de l'élection, qui
est si fortement exprimée dans le Dt, sous-tend tout l'A. T. où
Israël est un peuple à part (Nb **23** 9), le peuple de Dieu (Jg **5** 13), à lui
consacré (Ex **19** 6, etc.), qui est entré dans son Alliance (Ex **19** 1, etc.),
son fils (Dt **1** 31, etc.) la nation de l'Emmanuel, « Dieu avec nous » (Is **8**
8, 10).

[10] mais qui punit en leur propre personne ceux qui le haïssent. Il fait périr sans délai[a] celui qui le hait, et c'est un châtiment personnel qu'il lui fait subir. [11] Tu garderas donc les commandements, lois et coutumes que je te prescris aujourd'hui de mettre en pratique.

[12] Pour avoir écouté ces ordonnances, les avoir gardées et mises en pratique, Yahvé ton Dieu te gardera l'alliance et l'amour qu'il a jurés à tes pères. [13] Il t'aimera, te bénira, te multipliera; il bénira le fruit de ton sein et le fruit de ton sol, ton blé, ton vin, ton huile, la portée de tes vaches et le croît de tes brebis, sur la terre qu'il a juré à tes pères de te donner[b]. [14] Tu recevras plus de bénédictions que tous les peuples. Nul chez toi, homme ou femme, ne sera stérile, nul mâle ou femelle de ton bétail. [15] Yahvé éloignera de toi toute maladie; il ne t'infligera pas ces mauvaises plaies d'Égypte que tu as connues, mais il les réservera à tous ceux qui te haïssent.

[16] Tu dévoreras donc tous ces peuples que Yahvé ton Dieu te livre, sans les prendre en pitié et sans servir leurs dieux : car tu y serais pris au piège.

La force divine[c]. [17] Peut-être vas-tu dire en ton cœur : « Ces nations sont plus nombreuses que moi, comment pourrais-je les déposséder ? » [18] Ne les crains pas : rappelle-toi donc ce que Yahvé ton Dieu a fait à Pha-

---

a) « Sans délai ». Autre traduction possible (cf. Jr **32** 18) : « sans en chercher un autre ». Ce v. insiste sur la responsabilité individuelle (comparer avec le Décalogue, **5** 9; voir aussi **24** 10 et Ex **34** 7). Jérémie connaît cette doctrine (**31** 29 s), et surtout Ézéchiel (**18**).

b) Les Israélites pouvaient se demander si Yahvé, Dieu qu'ils avaient connu dans le désert, était le même Dieu qui faisait pousser les moissons et assurait la prospérité agricole.

c) Après ce paragraphe sur l'amour de Dieu qui prépare la doctrine johannique du Dieu amour (1 Jn **4** 16; Jn **14** 21, 23) le discours reprend le thème deutéronomique de la force de Yahvé (**9** 1-6).

raon et à toute l'Égypte, [19] ces grandes épreuves que tes yeux ont vues, ces signes et ces prodiges, cette main forte et ce bras étendu par lesquels Yahvé ton Dieu t'a fait sortir. Ainsi fera Yahvé ton Dieu contre tous les peuples que tu crains d'affronter. [20] De plus, Yahvé ton Dieu enverra des frelons[a] pour anéantir ceux qui seraient restés et se seraient cachés pour t'échapper.

[21] Ne tremble donc pas devant eux, car au milieu de toi est Yahvé ton Dieu, Dieu grand et redoutable. [22] C'est peu à peu[b] que Yahvé ton Dieu détruira ces nations devant toi; tu ne pourras les exterminer sur-le-champ, de peur que les bêtes sauvages ne se multiplient à ton détriment, [23] mais Yahvé ton Dieu te les livrera, et elles resteront en proie à de grands troubles jusqu'à ce qu'elles soient détruites. [24] Il livrera leurs rois en ton pouvoir et tu effaceras leur nom[c] de dessous les cieux : nul ne tiendra devant toi, jusqu'à ce que tu les aies exterminés.

[25] Vous brûlerez les images sculptées de leurs dieux, et n'irez pas convoiter l'or et l'argent qui les recouvrent. Si vous vous en empariez, vous seriez pris au piège; car c'est là chose abominable à Yahvé ton Dieu. [26] Tu n'introduiras pas dans ta maison une chose abominable, de peur de devenir anathème[d] comme elle. Tu les tiendras pour immondes et abominables, car elles sont anathèmes.

---

a) Les frelons sont un fléau nouveau comparable à plusieurs des plaies d'Égypte. Cf. Ex **23** 28; Jos **24** 12; Sg **12** 8.

b) D'après Dt **9** 3, la conquête de la Terre Sainte devait être rapide et l'extermination de ses anciens occupants totale. De fait, le récit synthétique de Jos **10-11** est corrigé par le tableau plus réaliste que donne le livre des Juges. Sur les raisons de la lenteur de la conquête et du maintien contre Israël des populations indigènes, voir Jg **2** 6 et la note.

c) « Nom » a souvent le sens de « renom, réputation ».

d) Sur l'anathème, voir la note sur **2** 34. Ici l'idée est que tout ce qui déplaît à la divinité doit disparaître.

8.
L'épreuve du désert.

¹ Vous garderez tous les commandements que je vous ordonne aujourd'hui de mettre en pratique, afin que vous viviez, que vous multipliiez et que vous entriez dans le pays que Yahvé a promis par serment à vos pères et le possédiez. ² Souviens-toi des marches que Yahvé ton Dieu t'a fait faire pendant quarante ans dans le désert, afin de t'humilier, de t'éprouver *a* et de connaître le fond de ton cœur : allais-tu ou non garder ses commandements ? ³ Il t'a humilié, il t'a fait sentir la faim, il t'a donné à manger la manne *b* que ni toi ni tes pères n'aviez connue, pour te montrer que l'homme ne vit pas seulement de pain, mais que l'homme vit de tout ce qui sort de la bouche de Yahvé *c*. ⁴ Le vêtement que tu portais ne s'est pas usé et ton pied n'a pas enflé, au cours de ces quarante ans !

⁵ Comprends donc que Yahvé ton Dieu te corrigeait comme un père corrige son enfant *d*, ⁶ et garde les commandements de Yahvé ton Dieu pour te diriger dans ses voies et pour le craindre.

Les tentations
de la Terre Promise.

⁷ Mais Yahvé ton Dieu te conduit vers un heureux pays, pays de torrents et de sources, d'eaux qui sourdent

---

a) Sur le thème de l'épreuve, voir Ex **15** 25.

b) Sur la manne, voir Ex **16** et Nb **11** 7-9.

c) Il y a une allitération. Yahvé a bien des moyens pour faire vivre les hommes, lui qui peut tout créer par sa parole. Il fera vivre les Israélites par les commandements divins (*miçwâh*) qui sortent (*môçâh*) de sa bouche. Lors de la tentation au désert le Christ rappellera (Mt **4** 4) cette vérité, que la Bible a souvent affirmée (Am **8** 11; Ne **9** 29; Pr **9** 1-5; Sg **16** 26; Si **24** 19-21; Jn **6** 30-36, etc.).

d) Ceci est un thème de la littérature de sagesse composée pour l'éducation des futurs scribes (Pr **12** 2; **3** 11-12; Sg **11** 9-10). Saint Paul affirmera aussi que Dieu nous corrige par ses châtiments (1 Co **11** 31 s).

de l'abîme ^{a} dans les vallées comme dans les montagnes, ^{8} pays de froment et d'orge, de vigne, de figuiers et de grenadiers, pays d'oliviers, d'huile et de miel, ^{9} pays où le pain ne te sera pas mesuré et où tu ne manqueras de rien, pays où il y a des pierres de fer et d'où tu extrairas, dans la montagne, le bronze ^{b}. ^{10} Tu mangeras, tu te rassasieras et tu béniras Yahvé ton Dieu en cet heureux pays qu'il t'a donné.

^{11} Garde-toi d'oublier Yahvé ton Dieu en négligeant ses commandements, ses coutumes et ses lois que je te prescris aujourd'hui. ^{12} Quand tu auras mangé et te seras rassasié, quand tu auras bâti de belles maisons et les habiteras, ^{13} quand tu auras vu multiplier ton gros et ton petit bétail, abonder ton argent et ton or, s'accroître tous tes biens, ^{14} que tout cela n'élève pas ton cœur ! N'oublie pas alors Yahvé ton Dieu qui t'a fait sortir du pays d'Égypte, de la maison de servitude : ^{15} lui qui t'a fait passer à travers ce désert grand et redoutable, pays des serpents brûlants ^{c}, des scorpions et de la soif; lui qui dans un lieu sans eau a fait pour toi jaillir l'eau de la roche la plus dure ^{d}; ^{16} lui qui dans le désert t'a donné à manger la manne, inconnue de tes pères, afin de t'humilier et de t'éprouver pour que ton avenir soit heureux ^{e} !

---

a) Dans la cosmologie du temps, les eaux de source sortent de l'abîme aqueux sur lequel repose la terre, de même que les eaux de pluie viennent de l'océan supérieur.

b) C'est-à-dire les métaux dont on fait le bronze.

c) Les serpents venimeux, dont la piqûre brûle (*sârâp*), cf. Nb **21** 6. Les Annales des rois d'Assyrie, Hérodote et Lucain font allusion à ces serpents ailés du désert. Voir aussi Is **30** 6. C'est sous l'aspect de *seraphim* que les anges de la cour céleste sont présentés dans la vision inaugurale d'Isaïe (Is **6**).

d) Litt. « silex ».

e) Ce paragraphe est important pour la doctrine biblique du bonheur. L'abondance des biens matériels est nécessaire au bonheur d'une nation, mais c'est un don de Dieu et l'homme doit d'abord faire sa place à Dieu et fuir suffisance et orgueil (**9** 4; **32** 27; Jr **2** 6; Si **10** 12).

¹⁷ Garde-toi de dire en ton cœur : « C'est ma force, c'est la vigueur de ma main qui m'ont procuré ce pouvoir. » ¹⁸ Souviens-toi de Yahvé ton Dieu : c'est lui qui t'a donné cette force, qui t'a procuré ce pouvoir, gardant ainsi, comme aujourd'hui, l'alliance jurée à tes pères. ¹⁹ Certes, si tu oublies Yahvé ton Dieu, si tu suis d'autres dieux, si tu les sers et te prosternes devant eux, j'en témoigne aujourd'hui contre vous, il vous faudra périr. ²⁰ Telles les nations que Yahvé aura fait périr devant vous, tels vous-mêmes périrez, pour n'avoir pas écouté la voix de Yahvé votre Dieu.

La victoire revient à Yahvé, non aux vertus d'Israël.

9. ¹ Écoute, Israël. Te voilà aujourd'hui sur le point de passer le Jourdain, pour aller déposséder des nations plus nombreuses et plus fortes que toi et prendre de grandes villes dont les fortifications montent jusqu'au ciel. ² C'est un peuple grand et de haute stature que les Anaqim. Tu le connais, tu as entendu dire : « Qui peut tenir tête aux fils d'Anaq ? » ³ Sache aujourd'hui que c'est Yahvé ton Dieu qui va passer devant toi, comme un feu dévorant qui les détruira, et c'est lui qui va te les soumettre ; alors tu les déposséderas et tu les feras périr promptement, comme te l'a dit Yahvé[a]. ⁴ Ne dis pas en ton cœur, lorsque Yahvé ton Dieu les chassera devant toi : « C'est à cause de ma juste conduite que Yahvé m'a fait entrer en possession de ce pays », alors que c'est en raison de leur perversité que Yahvé dépossède ces nations à ton profit. ⁵ Ce n'est pas la rectitude de ta conduite ni la droi-

---

a) Voir un tradition différente en **7** 22 (en accord avec Ex **23** 29). Notre passage fait une part plus grande à la rhétorique et insiste davantage sur la puissance de Yahvé.

ture de ton cœur qui te font entrer en possession de leur pays, mais c'est en raison de leur perversité que Yahvé ton Dieu dépossède ces nations à ton profit; et c'est aussi pour tenir la parole qu'il a jurée à tes pères, Abraham, Isaac et Jacob. ⁶ Sache aujourd'hui que ce n'est pas la rectitude[a] de ta conduite qui te vaut de recevoir de Yahvé ton Dieu cet heureux pays pour domaine : car tu es un peuple à la nuque raide[b].

La prévarication d'Israël à l'Horeb et l'intercession de Moïse[c].

⁷ Souviens-toi[d]. N'oublie pas que tu as irrité Yahvé ton Dieu dans le désert. Depuis le jour de votre sortie du pays d'Égypte jusqu'à votre arrivée en ce lieu, vous avez été rebelles à Yahvé. ⁸ A l'Horeb vous avez excité la colère de Yahvé, et Yahvé fut transporté contre vous d'une colère qui allait vous détruire. ⁹ J'étais monté sur la montagne pour prendre les tables de pierre, les tables de l'alliance que Yahvé concluait avec vous. J'étais demeuré sur la montagne quarante jours et quarante nuits sans manger de pain ni boire d'eau. ¹⁰ Yahvé m'avait donné les deux tables de pierre écrites du doigt de Dieu, conformes en tout point aux paroles qu'il vous avait dites du milieu du feu, sur la montagne, au jour de l'Assemblée. ¹¹ Au bout de quarante jours et quarante nuits, m'ayant donné les deux tables de pierre, tables de l'alliance, ¹² Yahvé me dit : « Lève-toi d'ici, descends en toute hâte, car ton peuple a prévariqué,

a) Litt. « justesse », cf. 4 8, note.
b) C'est-à-dire indocile, tel un animal qui ne plie pas l'échine.
c) Non seulement la Terre Promise est un don de Dieu, mais c'est un don fait à un peuple rebelle. Ce paragraphe va établir en développant un autre aspect de la médiation de Moïse.
d) Voir en Ex **32** les traditions qui sont ici évoquées.

lui que tu as fait sortir d'Égypte. Ils n'ont pas tardé à
s'écarter de la voie que je leur avais prescrite : ils se sont
fait une idole de métal fondu[a]. » [13] Puis Yahvé me dit :
« J'ai vu ce peuple : c'est un peuple à la nuque raide[b].
[14] Laisse-moi, que je les détruise et que j'efface leur nom
de dessous les cieux; et que je fasse de toi une nation plus
puissante et plus nombreuse que lui ! »

[15] Je redescendis de la montagne, qui était tout embrasée; j'avais les deux tables de l'alliance dans mes deux
mains. [16] Et je vis que vous veniez de pécher contre Yahvé
votre Dieu. Vous vous étiez fait un veau de métal fondu :
vous n'aviez pas tardé à vous écarter de la voie que Yahvé
vous avait prescrite. [17] Je saisis les deux tables, des deux
mains je les jetai et je les brisai sous vos yeux. [18] Puis je me
jetai à terre devant Yahvé; comme la première fois je fus
quarante jours et quarante nuits sans manger de pain ni
boire d'eau, à cause de tout le mal que vous aviez commis,
en faisant ce qui déplaît à Yahvé au point de l'irriter.
[19] Car j'avais peur de cette colère, de cette fureur qui
transportait Yahvé contre vous au point de vous détruire.
Et cette fois encore, Yahvé m'exauça. [20] Contre Aaron
aussi, Yahvé était violemment irrité, au point de le
faire périr. J'intercédai aussi en faveur d'Aaron[c]. [21] Cette
œuvre de péché que vous aviez fabriquée, ce veau, je le
pris, je le brûlai, je le broyai, je le réduisis en menue poussière, et j'en jetai la poussière au torrent qui descend de la
montagne[d].

---

a) Voir **32** 4. Peut-être l'idole était-elle seulement plaquée d'or.
b) Cf. **9** 6. Jérémie insistera sur ce point comme le Deutéronome (Jr **7**
26; **17** 23; **19** 15).
c) Ce v. peut être une addition. De même 22-24. Voir la note sur **10** 6 s.
d) Sans doute développement oratoire sur Ex **32** 20 qui parle seulement
d'eau. Il y avait des rites de purification par l'eau (ainsi Nb **5** 11-31).

Autres fautes.
Prière de Moïse.

²² Et à Tabééra, et à Massa, et à Qibrot-hat-Taava, vous avez irrité Yahvé[a]. ²³ Et lorsque Yahvé voulut vous faire quitter Cadès Barné en disant : « Montez prendre possession du pays que je vous ai donné », vous vous êtes rebellés contre l'ordre de Yahvé votre Dieu, vous n'avez pas cru en lui ni écouté sa voix. ²⁴ Vous avez été rebelles à Yahvé depuis le jour où il vous a connus[b].

²⁵ Je me jetai donc à terre devant Yahvé et je restai prosterné ces quarante jours et ces quarante nuits, car Yahvé avait parlé de vous détruire[c]. ²⁶ J'intercédai près de Yahvé et je lui dis : « Mon Seigneur Yahvé, ne détruis pas ton peuple et ton héritage, lui que tu as délivré par ta grandeur et que tu as fait sortir d'Égypte à main forte. ²⁷ Souviens-toi de tes serviteurs, Abraham, Isaac et Jacob, et ne fais pas attention à l'indocilité de ce peuple, à sa perversité et à son péché, ²⁸ de crainte que l'on ne dise au pays d'où tu nous as fait sortir : ' Yahvé n'a pas pu les conduire au pays dont il leur avait parlé, et c'est en haine d'eux qu'il les a fait sortir, pour les faire mourir dans le désert.' ²⁹ Mais ils sont ton peuple, ton héritage, ceux que tu as fait sortir par ta grande puissance et ton bras étendu[d]. »

---

9 24. « *où il vous a connus* » Sam G ; « *où je vous ai connus* » H.

---

a) Ces événements sont relatés en Nb **11** 1-3; Ex **17** 1-7; Nb **20** 1-13; **11** 4-34, mais dans un ordre différent de celui que nous avons ici.

b) « Connaître », comme on dit que l'on connaît un ami. C'est à l'Horeb que Dieu et Israël sont ainsi entrés en relation étroite. H et Syr (voir note critique) ont voulu éviter une expression qui paraissait restreindre l'omniscience de Dieu.

c) Le texte hébreu est lourd et a peut-être été remanié. Cf. **10** 10.

d) Moïse est resté le modèle de ceux que Dieu exauce (Ps **99** 6). Les Prophètes intercéderont aussi mais ne seront pas toujours exaucés : Amos (**7** 3, 6; mais **7** 8 et **8** 2); Jérémie (**14** 11 s). Le Christ le sera toujours (Jn **11** 42).

10. ¹ Yahvé me dit alors : « Taille deux tables de pierre comme les premières, monte vers moi sur la montagne et fais-toi une arche de bois *a*. ² J'écrirai sur les tables les paroles qui étaient sur les premières tables que tu as brisées, puis tu déposeras les tables dans l'arche. » ³ Je fis une arche en bois d'acacia *b*, je taillai les deux tables de pierre semblables aux premières, et je montai sur la montagne, les deux tables à la main. ⁴ Il écrivit sur les tables, comme la première fois, les dix Paroles que Yahvé vous avait dites sur la montagne, du milieu du feu, au jour de l'Assemblée. Puis Yahvé me les donna. ⁵ Je redescendis de la montagne, je mis les tables dans l'arche que j'avais faite *c* et elles y restèrent, comme Yahvé me l'avait commandé.

L'arche d'alliance et le choix de Lévi.

⁶ *d* Les enfants d'Israël quittèrent les puits des Bené Yaaqân *e* pour Moséra, où mourut Aaron; il y fut enterré, et c'est Éléazar son fils qui lui succéda comme prêtre. ⁷ Ils partirent de là pour Gudgoda, et de Gudgoda pour

---

a) L'arche était une sorte de coffre rectangulaire. Cf. Ex **25** 10-16.

b) Le *seyal*, sorte d'acacia au bois plus lourd que l'eau. On le trouve dans les ouadis du désert du Sinaï.

c) Les prêtres égyptiens transportaient processionnellement les statues divines dans des niches portatives. L'arche d'alliance, siège de la présence du vrai Dieu, ne renferme que les tables de la Loi, expression de sa volonté. Yahvé réprouve les statues et veut rester un Dieu spirituel.

d) Les vv. 6-9 coupent la suite des événements du Sinaï. Dans une phrase assez lourde le v. 10 devra revenir en arrière. La situation était la même en **9** 20, 22-24 suivis d'un v. 25 qui devait également faire une reprise. Il semble que nous ayons là une retouche faite par un auteur postérieur. Il a voulu dégager le sacerdoce lévitique de la faute d'Aaron en rappelant que les pouvoirs de ce sacerdoce lui viennent d'un acte de Moïse instituant l'arche d'alliance et que ces pouvoirs ne lui ont été donnés qu'au temps d'Éléazar, de longues années après le départ de l'Horeb.

e) Le Pentateuque samaritain suit ici l'ordre des étapes tel qu'il est donné en Nb **33** 31-38. Nous avons donc deux traditions sur cet itinéraire.

Yotbata, contrée riche en cours d'eau. ⁸ Yahvé mit alors
à part la tribu de Lévi, pour porter l'arche de l'alliance de
Yahvé, se tenir en présence de Yahvé, le servir et bénir
en son nom jusqu'à ce jour *ᵃ*. ⁹ Aussi n'y eut-il pas pour
Lévi de part ni d'héritage avec ses frères : c'est Yahvé qui
est son héritage *ᵇ* comme Yahvé ton Dieu le lui a dit.

¹⁰ Pour moi, je me tins sur la montagne, comme la
première fois, quarante jours et quarante nuits. Cette fois
encore Yahvé m'exauça, et Yahvé renonça à te détruire.
¹¹ Mais Yahvé me dit : « Lève-toi, va prendre la tête de
ce peuple, afin qu'ils aillent prendre possession du pays
que j'ai juré à leurs pères de leur donner. »

**La circoncision
du cœur.**

¹² Et maintenant, Israël,
que te demande Yahvé ton
Dieu ? Sinon de craindre
Yahvé ton Dieu, de suivre
toutes ses voies, de l'aimer *ᶜ*, de servir Yahvé ton Dieu de
tout ton cœur et de toute ton âme, ¹³ de garder les commandements de Yahvé et ses lois que je te prescris aujour-
d'hui pour ton bonheur.

¹⁴ C'est bien à Yahvé ton Dieu qu'appartiennent les
cieux et les cieux des cieux *ᵈ*, la terre et tout ce qui s'y
trouve. ¹⁵ Yahvé pourtant ne s'est attaché qu'à tes pères,
par amour pour eux, et après eux il a élu entre toutes les

---

a) Ceci est relaté dans les textes sacerdotaux du livre des Nombres,
Nb **1** 48-53; **3** 1-10; **4** 1-33.

b) C'est-à-dire que les lévites vivaient des offrandes faites à Yahvé dont
ils sont les serviteurs. Cf. Nb **18** 20.

c) L'amour de Dieu requiert d'abord la crainte (cf. **6** 5 s). Cette crainte
religieuse assure l'obéissance aux sages commandements dont l'observance
procure le bonheur. Le N. T. donnera sa perfection à la religion israélite, le Christ rendra possible un amour de Dieu sans crainte : « L'amour
parfait bannit la crainte » (1 Jn **4** 18).

d) Le génitif exprime en hébreu le superlatif. Les « cieux des cieux »
sont « les cieux les plus élevés ». Sur la domination divine, cf. Ps **24** 1-2;
Is **66** 1-2.

nations leur descendance, vous-mêmes, jusqu'aujourd'hui.
¹⁶ Circoncisez votre cœur*a* et ne raidissez plus votre nuque,
¹⁷ car Yahvé votre Dieu est le Dieu des dieux et le Seigneur
des seigneurs*b*, le Dieu grand, vainqueur et redoutable,
qui ne fait pas acception de personne et ne se laisse pas
corrompre par des présents. ¹⁸ C'est lui qui fait droit à
l'orphelin et à la veuve, et il aime l'étranger, auquel il
donne pain et vêtement. ¹⁹ Aimez l'étranger car au pays
d'Égypte vous fûtes des étrangers*c*. ²⁰ C'est Yahvé ton
Dieu que tu craindras et serviras, t'attachant à lui et jurant
par son nom. ²¹ C'est lui que tu dois louer et c'est lui ton
Dieu : il a accompli pour toi ces choses grandes et terribles
que tes yeux ont vues; ²² et, alors que tes pères n'étaient
que soixante-dix*d* quand ils sont descendus en Égypte,
Yahvé ton Dieu t'a rendu aussi nombreux à présent que
les étoiles des cieux.

11. ¹ Tu aimeras Yahvé
L'expérience d'Israël.   ton Dieu et tu garderas toujours ses observances*e*, ses
lois, coutumes et commandements. ² C'est vous qui avez

---

a) Jérémie (**4** 4) demande également la circoncision du cœur. La circoncision était le signe de l'appartenance au peuple de Yahvé (Gn. **17** 11). Mais
dépendre réellement de Yahvé, c'est faire sa volonté. Il faut donc marquer
de ce signe les facultés spirituelles de l'homme, son « cœur » suivant l'expression hébraïque, et par là même cesser d'être indocile, de raidir son cou.
Le Deutéronome finalement laissera à Dieu d'opérer cette circoncision
(**30** 6).
b) Les dieux étaient appelés seigneurs (*Adonis* est une forme grécisée
du mot sémitique qui veut dire « Seigneur »). Yahvé est au-dessus de tous
les dieux, rabaissés au rang de simples puissances mal déterminées. Il est
de plus incorruptible, cf. 2 Ch **19** 7; Sg **6** 7; Si **35** 15-16.
c) Le Deutéronome est peu favorable aux étrangers (**15** 6; **23** 3 s). Ces
vv. n'en sont que plus importants.
d) Cf. Gn **46** 27; Ex **1** 5.
e) Litt. « sa garde », nouvelle désignation de la loi. C'est à la fois un
dépôt que les Israélites doivent *garder* et une indication des volontés
divines qu'ils doivent *observer*.

fait l'expérience et non vos fils. Eux n'ont pas vu ni connu[a]
les leçons de Yahvé votre Dieu, sa grandeur, la force de
sa main et la vigueur de son bras, 3 les signes et les œuvres
qu'il a accomplis au cœur de l'Égypte, contre Pharaon
et tout son pays, 4 ce qu'il a fait aux armées de l'Égypte,
à ses chevaux et à ses chars, en ramenant sur eux les eaux
de la mer des Roseaux lorsqu'ils vous poursuivaient et
comme il les a anéantis jusqu'aujourd'hui; 5 ce qu'il a
fait pour vous dans le désert jusqu'à ce que vous arriviez
ici; 6 ce qu'il a fait à Datân et à Abiram[b], les fils d'Éliab
le Rubénite, quand la terre ouvrit sa bouche et les englou-
tit[c] au milieu de tout Israël, avec leurs familles, leurs
tentes et toute leur dépendance. 7 Ce sont vos yeux à vous
qui ont vu cette grande œuvre de Yahvé.

**Promesses
et avertissements.**

8 Vous garderez tous les
commandements que je vous
prescris aujourd'hui, afin
d'être forts pour conquérir
le pays où vous allez passer pour en prendre possession,
9 afin de demeurer de longs jours sur la terre que Yahvé
a promise par serment à vos pères et à leur descendance,
pays où ruissellent le lait et le miel.

10 Car le pays où tu entres pour en prendre possession
n'est pas comme le pays d'Égypte d'où vous êtes sortis,
où après avoir semé, il fallait arroser avec le pied[d], comme
on arrose un jardin potager. 11 Mais le pays où vous allez

---

a) La foi des futures générations sera basée non sur leurs expériences
mais sur une tradition historique et religieuse (cf. Jn **20** 29). Les développements suivants visent surtout ces générations.

b) Cf. Nb **16**.

c) Sam ajoute : « ainsi que tous les hommes qui étaient à Coré ».

d) Allusion soit à des rigoles d'irrigation creusées au pied dans la terre
molle, soit à une roue hydraulique mue au pied comme Niebuhr en a vu
une au Caire au xviiie siècle.

passer pour en prendre possession est un pays de montagnes et de vallées arrosées de la pluie du ciel[a]. [12] De ce
pays Yahvé ton Dieu prend soin, sur lui les yeux de Yahvé
ton Dieu restent fixés depuis le début de l'année jusqu'à
sa fin. [13] Assurément, si vous obéissez vraiment à mes
commandements que je vous prescris aujourd'hui, aimant
Yahvé votre Dieu et le servant de tout votre cœur et de
toute votre âme, [14] je donnerai[b] à votre pays la pluie au
temps opportun, pluie d'automne et pluie de printemps,
et tu pourras récolter ton froment, ton vin et ton huile,
[15] je donnerai à ton bétail de l'herbe dans la campagne,
et tu mangeras et te rassasieras[c]. [16] Gardez-vous de laisser
séduire votre cœur[d]; vous vous fourvoieriez, vous servi-
riez d'autres dieux et vous prosterneriez devant eux; [17] et
la colère de Yahvé s'enflammerait contre vous, il ferme-
rait les cieux, il n'y aurait plus de pluie, la terre ne donnerait
plus son fruit et vous péririez bientôt en cet heureux pays
que Yahvé vous donne.

Conclusion[e]. [18] Ces paroles que je vous
dis, mettez-les dans votre
cœur et dans votre âme,
attachez-les à votre main comme un signe, à votre front
comme un bandeau. [19] Enseignez-les à vos fils, et répétez-
les leur, aussi bien assis dans ta maison que marchant sur
la route, couché aussi bien que debout. [20] Tu les écriras
sur les poteaux de ta maison et sur tes portes, [21] afin d'avoir

---

a) Ce n'est pas la simple formule du pays « ruisselant de lait et de
miel ». Cet éloge de la Palestine, déjà esquissé en **8** 7-10, prélude au Cantique des Cantiques et à Ne **9** 25.

b) Les anciennes versions ont été gênées par ce passage brusque à un
discours direct de Dieu sans introduction (cf. **2** 25).

c) Ces promesses seront reprises au ch. **28** (vv. 2-6, 11-12).

d) Thème de la littérature de Sagesse (par exemple Pr **27** 12) qui blâme
ceux qui agissent sans expérience ni réflexion.

e) Reprise du thème de **6** 6 s.

de longs jours[a], vous et vos fils, sur la terre que Yahvé a juré à vos pères de leur donner, aussi longtemps que les cieux demeureront au-dessus de la terre[b].

[22] Car, si vraiment vous gardez et pratiquez tous ces commandements que je vous prescris, aimant Yahvé votre Dieu, marchant dans toutes ses voies et vous attachant à lui, [23] Yahvé dépossédera à votre profit toutes ces nations, et vous déposséderez des nations plus grandes et plus puissantes que vous. [24] Tout lieu que foulera la plante de vos pieds sera vôtre; depuis le désert, depuis le Liban, depuis le Fleuve, le fleuve Euphrate, jusqu'à la mer occidentale s'étendra votre territoire. [25] Personne ne tiendra devant vous, Yahvé votre Dieu vous fera craindre et redouter sur toute l'étendue du pays que vous foulerez, ainsi qu'il vous l'a dit[c].

[26] Voyez ! Je vous offre aujourd'hui bénédiction et malédiction[d]. [27] Bénédiction si vous obéissez aux commandements de Yahvé votre Dieu que je vous prescris aujourd'hui, [28] malédiction si vous désobéissez aux commandements de Yahvé votre Dieu, si vous vous écartez de la voie que je vous prescris aujourd'hui en suivant d'autres dieux que vous n'avez pas connus. [29] Lorsque Yahvé ton Dieu t'aura conduit dans le pays où tu vas entrer pour en prendre possession, tu placeras la bénédiction sur le mont Garizim et la malédiction sur le mont Ébal. [30] Ces monts, on le sait, se trouvent au delà du Jourdain, sur la route du couchant, dans le pays des Cananéens qui habitent la Plaine, vis-à-vis de Gilgal, auprès

---

a) Cf. Pr **3** 2; Ne **9** 29.
b) Comparaison semblable dans Jr **33** 25.
c) Ces promesses (21-25) sont rappelées dans notre liturgie au Samedi des Quatre-Temps de Carême.
d) Ce thème sera repris aux ch. **27** et **28** après l'énoncé des lois.

du Chêne de Moré[a]. [31] Vous allez en effet passer le Jourdain, pour aller prendre possession du pays que Yahvé votre Dieu vous donne. Vous le posséderez, vous y demeurerez, [32] et vous garderez et pratiquerez toutes les lois et coutumes que j'énonce aujourd'hui devant vous.

II

LE CODE DEUTÉRONOMIQUE[b]

12.   [1] Et voici les lois et coutumes que vous garderez et pratiquerez, dans le pays que Yahvé le Dieu de tes pères t'a donné pour domaine, tous les jours que vous vivrez en ce pays.

OBSERVANCES RELIGIEUSES

Le lieu de culte[c].

[2] Vous abolirez tous les lieux où les peuples que vous dépossédez auront servi leurs

---

a) Beaucoup voient dans cette route celle qui traverse du N. au S. les monts de Samarie et de Juda et traduisent « au delà » de cette route. Mais il est plus probable qu'il s'agit ici du chemin que les Israélites suivront pour pénétrer au delà du Jourdain. Il est probable que le Gilgal mentionné ici près des chênes de Moré se trouve près de Sichem (cf. Gn **12** 6), et soit à identifier avec le Gilgal qui servit de sanctuaire à Sichem au temps de la monarchie. Il est difficile d'y voir celui de Jos **4** 19 entre le Jourdain et Jéricho. Voir aussi 2 R **2** 1. Ce nom signifiant « cercle de pierre » était assez répandu.

b) Le second discours s'achèvera en **26** 16-28 69. — Ici commence l'énoncé des lois, le code. Il y a d'autres codes dans la Bible : le code de l'Alliance (Ex **20** 22-23 19), le petit code rituel d'Ex **34** 11-26, le code de sainteté (Lv **17-25**)... Sur les caractères et les dates de ces différents codes, voir les notions générales sur la composition du Pentateuque qui ont été données dans l'Introduction au livre la Genèse. Sur leurs rapports avec le Code Deutéronomique, voir ici l'Introduction, pp. 17-18.

c) La première des lois vise le culte (même disposition dans les autres

dieux, sur les hautes montagnes, sur les collines, sous tout arbre verdoyant : ³ vous démolirez leurs autels, briserez leurs stèles, abattrez leurs pieux sacrés, brûlerez au feu les images sculptées de leurs dieux, et vous abolirez leur nom en ce lieu *a*.

⁴ A l'égard de Yahvé votre Dieu vous agirez d'autre sorte. ⁵ Vous ne viendrez trouver Yahvé votre Dieu qu'au lieu choisi par lui *b*, entre toutes vos tribus, pour y placer son nom et l'y faire habiter. ⁶ Vous y apporterez vos holocaustes et vos sacrifices, vos dîmes et les présents de vos mains *c*, vos offrandes votives et vos offrandes volontaires, les premiers-nés de votre gros et de votre petit bétail, ⁷ vous y mangerez en présence de Yahvé votre Dieu et vous vous réjouirez de tout ce que vos mains auront apporté, vous et vos maisons bénis de Yahvé votre Dieu *d*.

⁸ Vous n'agirez pas comme nous agissons ici aujourd'hui : chacun fait ce qui lui paraît bon *e*, ⁹ puisque vous

recueils législatifs, Ex **20** 22 s; Lv **17**). Le culte cananéen était celui d'une religion de fécondité qui exposait à l'immoralité (cf. Os **4** 10-19; Jr **2** 20-3 6). Cette loi veut, dans le même esprit que les Prophètes, défendre le culte yahviste de toute contamination des cultes cananéens par la destruction des hauts lieux de ces cultes; par le choix d'un seul lieu (qui sera en fait Jérusalem) pour le culte yahviste. Cette centralisation, qui n'était pas pratiquée à l'époque des Juges (Jg **6** 28; **13** 16), ni même sous Salomon (1 R **3** 4), est un trait essentiel de la législation deutéronomique (cf. 1 R **14** 23; 2 R **16** 4; **17** 10). Elle sera l'un des points principaux de la « réforme de Josias » (2 R **23**).

a) Le haut lieu cananéen était un domaine sacré, délimité par une enceinte, avec un petit sanctuaire pour l'idole, l'autel pour les sacrifices, les stèles et les pieux sacrés (voir la note sur **7** 5).

b) Ce sera en fait Jérusalem.

c) Dans les *holocaustes* la victime est entièrement brûlée en l'honneur de la divinité; dans les *sacrifices* (dits « pacifiques » ou « sacrifices de communion »), seuls lui sont offerts le sang et les graisses. Les *dîmes* sont un prélèvement sur la récolte, les *présents* une offrande végétale ou animale faite spontanément ou en conséquence d'un vœu. Sur le rituel voir aussi Lv **1-3**.

d) La fête israélite consiste ici essentiellement en un repas cultuel joyeux offert à ses fidèles par la divinité avec les présents qu'on lui a offerts.

e) Ce désordre est un trait de l'époque prémonarchique. Cf. Jg **17** 6; **21** 24.

n'êtes pas encore entrés dans l'établissement et l'héritage que Yahvé ton Dieu te donne. ¹⁰ Vous allez passer le Jourdain et demeurer dans le pays que Yahvé votre Dieu vous donne en héritage; il vous établira à l'abri de tous vos ennemis alentour, et vous aurez une sûre demeure. ¹¹ C'est au lieu choisi par Yahvé votre Dieu pour y faire habiter son nom que vous apporterez tout ce que je vous prescris, vos holocaustes et vos sacrifices, vos dîmes, les présents de vos mains et toutes les choses excellentes que vous aurez promises par vœu à Yahvé; ¹² vous vous réjouirez alors en présence de Yahvé votre Dieu, vous, vos fils et vos filles, vos serviteurs et vos servantes, et le lévite qui demeure chez vous, puisqu'il n'a ni part ni héritage avec vous[a].

Précisions sur les sacrifices. ¹³ Garde-toi d'offrir tes holocaustes en tous les lieux sacrés que tu verras[b], ¹⁴ c'est seulement au lieu choisi par Yahvé dans l'une de tes tribus que tu pourras offrir tes holocaustes et mettre en pratique tous mes commandements.

¹⁵ Tu pourras pourtant, chaque fois que tu le désireras, immoler et manger de la chair en chacune de tes villes, pour autant que t'en aura donné la bénédiction de Yahvé ton Dieu. Que l'on soit pur ou impur, on en pourra manger, tout comme si c'était de la gazelle ou du cerf[c]. ¹⁶ Cependant vous ne mangerez pas le sang, mais tu le répandras à terre comme de l'eau[d].

---

a) Il fallait rappeler les droits des lévites, privés de leurs ressources par la centralisation du culte et la disparitions des sanctuaires locaux.
b) C'est-à-dire les hauts lieux cananéens.
c) Gibier que ne frappait aucun interdit.
d) Le sang, considéré comme principe de la vie, avait quelque chose de divin et devait être respecté (cf. 12 23).

[17] Tu ne pourras pas consommer dans tes villes la dîme de ton froment, de ton vin ou de ton huile, ni les premiers-nés de ton gros ou de ton petit bétail, ni aucune de tes offrandes votives ou de tes offrandes spontanées, ni ce que tu auras présenté de tes mains à Yahvé[a]. [18] Mais tu les mangeras en présence de Yahvé ton Dieu, au lieu choisi par Yahvé ton Dieu et là seulement, toi, ton fils et ta fille, ton serviteur et ta servante, et le lévite qui est chez toi. Tu te réjouiras en présence de Yahvé ton Dieu de tout ce que tes mains auront apporté. [19] En ton pays, garde-toi de jamais négliger le lévite.

[20] Lorsque Yahvé ton Dieu aura agrandi ton territoire, comme il te l'a dit, et que tu t'écrieras : « Je voudrais manger de la viande », si tu désires manger de la viande, tu pourras le faire autant que tu voudras. [21] Si le lieu choisi par Yahvé ton Dieu pour y placer son nom est trop loin de toi, tu pourras immoler du gros et du petit bétail que t'aura donné Yahvé, de la manière que je t'ai prescrite ; tu en mangeras dans tes villes autant que tu le désireras, [22] mais tu en mangeras comme on mange de la gazelle ou du cerf : le pur et l'impur en mangeront ensemble. [23] Garde-toi seulement de manger le sang, car le sang, c'est l'âme[b], et tu ne dois pas manger l'âme avec la chair. [24] Tu ne le mangeras pas, tu le répandras à terre comme de l'eau. [25] Tu ne le mangeras pas, afin d'être heureux, toi et ton fils après toi, en pratiquant ce qui est juste aux yeux de Yahvé. [26] Mais les choses saintes qui seraient à toi, et celles que tu aurais vouées, tu iras les porter à ce lieu choisi par Yahvé. [27] Tu feras l'holocauste

---

a) La loi de l'unité du lieu de culte entraîne la distinction entre l'abattage profane du bétail, qui peut être pratiqué partout, et le sacrifice religieux, qui ne peut avoir lieu qu'au sanctuaire choisi. Lv **17** 3 s ne distinguait pas. Cf. aussi 1 S **14** 32 s.

b) Sur cette identification, voir Gn **9** 4 ; Lv **17** 11, 14.

de la chair et du sang sur l'autel de Yahvé ton Dieu; quant
à tes sacrifices, le sang en sera répandu sur l'autel de Yahvé
ton Dieu, et tu mangeras la chair. ²⁸ Garde docilement et
mets en pratique toutes ces prescriptions que je te fais,
en sorte d'être heureux pour toujours, toi et ton fils après
toi, en accomplissant ce qui est bon et juste aux yeux de
Yahvé ton Dieu.

Contre les cultes cananéens.

²⁹ Lorsque Yahvé ton
Dieu aura fait table rase des
nations chez qui tu te rends
pour les déposséder devant
toi, lorsque tu les auras dépossédées et que tu habiteras
dans leur pays, ³⁰ ne va pas te laisser prendre au piège *a*;
ne te mets pas à leur suite après qu'elles auront été anéan-
ties devant toi. Garde-toi de rechercher leurs dieux, en
disant : « Comment ces nations servaient-elles leurs dieux ?
Ainsi ferai-je, moi aussi. » ³¹ Tu n'agiras pas de même sorte
envers Yahvé ton Dieu. Car Yahvé a tout cela en abomination, et il déteste ce qu'elles ont fait pour leurs dieux :
elles vont même jusqu'à brûler au feu leurs fils et leurs
filles pour leurs dieux !

32   **13.**   ¹ Tout ce que je vous commande, vous le garderez et le pratiquerez, sans y ajouter ni en retrancher *b*.

3. ¹

Contre les séductions de l'idolâtrie.

² Si quelque prophète ou
faiseur de songes *c* surgit au
milieu de toi, s'il te propose
2   un signe ou un prodige ³ et

---

a) Sur les contacts avec les Cananéens, voir ch. **6** et **7**.

b) Conclusion comme le Deutéronome les aime à la fin d'un paragraphe.
Mais le grec et l'hébreu voient là le début du paragraphe suivant.

c) Le prophète est avant tout celui qui parle au nom de la divinité. Le
Deutéronome définira le statut du prophète (**17** 2-7). Il recevait souvent
par songe la communication divine (Gn **15** 12; **28** 12...). Les Égyptiens
partageaient cette opinion. Les prophètes canoniques y font très peu
d'allusions.

qu'ensuite ce signe ou ce prodige annoncé arrive, s'il te dit alors : « Allons suivre d'autres dieux (que tu n'as pas
³ connus) et servons-les », ⁴ tu n'écouteras pas les paroles de ce prophète ni les songes de ce songeur. C'est Yahvé votre Dieu qui vous éprouve pour savoir si vraiment vous aimez Yahvé votre Dieu de tout votre cœur et de
⁴ toute votre âme*a*. ⁵ C'est Yahvé votre Dieu que vous sui- vrez et c'est lui que vous craindrez, ce sont ses comman- dements que vous garderez, c'est à sa voix que vous obéi- rez, c'est lui que vous servirez, c'est à lui que vous vous
⁵ attacherez. ⁶ Ce prophète ou ce faiseur de songes devra mourir : car il a prêché l'apostasie envers Yahvé ton Dieu, qui vous a fait sortir du pays d'Égypte et t'a racheté de la maison de servitude, et il t'aurait égaré loin de la voie où Yahvé ton Dieu t'a prescrit de marcher. Tu feras dispa- raître le mal du milieu de toi.
⁶   ⁷ Si ton frère, fils de ton père ou fils de ta mère, ton fils, ta fille, l'épouse qui repose sur ton sein ou le compagnon qui partage ta vie, cherche dans le secret à te séduire en disant : « Allons servir d'autres dieux », dieux que tes
⁷ pères ni toi n'avez connus, ⁸ parmi les dieux des peuples proches ou lointains qui vous entourent, d'un bout du
⁸ monde à l'autre, ⁹ tu ne consentiras pas à sa parole, tu ne l'écouteras pas, ton œil sera sans pitié, tu ne l'épargneras
⁹ pas et tu ne cacheras pas sa faute. ¹⁰ Oui, tu devras le tuer, ta main sera la première contre lui pour le mettre à mort, et la main de tout le peuple continuera l'exécution.
¹⁰ ¹¹ Tu le lapideras jusqu'à ce que mort s'ensuive : car il a cherché à t'égarer loin de Yahvé ton Dieu, qui t'a fait
¹¹ sortir du pays d'Égypte, maison de servitude ! ¹² Tout

---

13 7. « *fils de ton père ou* » Sam G ; *omis par* H.

---

a) Cf. **6** 4 s.

Israël en l'apprenant sera saisi de crainte, et cessera de
pratiquer ce mal au milieu de toi.

12   ¹³ Si tu entends dire que dans l'une des villes que Yahvé
13   ton Dieu t'a données pour y habiter, ¹⁴ des hommes, des
vauriens[a], issus de ta race, ont égaré leurs concitoyens en
disant : « Allons servir d'autres dieux », que vous n'avez
14   pas connus, ¹⁵ tu examineras l'affaire, tu feras une enquête,
tu interrogeras avec soin. S'il est bien avéré et s'il est bien
établi qu'une telle abomination a été commise au milieu
15   de toi, ¹⁶ tu devras passer au fil de l'épée les habitants de
cette ville, tu la voueras à l'anathème[b], elle et tout ce
16   qu'elle contient; ¹⁷ tu en rassembleras toutes les dépouilles
au milieu de la place publique et tu incendieras la ville
avec toutes ses dépouilles, l'offrant tout entière à Yahvé
ton Dieu. Elle deviendra pour toujours une ruine, qui
17   ne sera plus rebâtie. ¹⁸ De cet anathème tu ne garderas
rien, afin que Yahvé revienne de l'ardeur de sa colère, qu'il
te fasse miséricorde, qu'il ait pitié de toi et qu'il te multi-
18   plie comme il l'a juré à tes pères, ¹⁹ à condition que tu
écoutes la voix de Yahvé ton Dieu en gardant tous ses
commandements que je te prescris aujourd'hui et en pratiquant ce qui est juste aux yeux de Yahvé ton Dieu.

**Contre une pratique
idolâtrique.**

14. ¹ Vous êtes des fils
pour Yahvé votre Dieu.
Vous ne vous ferez pas d'in-
cision ni de tonsure sur le

---

16. *Après* « contient » *H ajoute* « *ainsi que son bétail au fil de l'épée* »; *omis
par* G.

---

a) Litt. « fils de Bélial ». Sens probable : « sans utilité », d'où « vauriens »
« mauvais ». Peu à peu, « Bélial » fut senti comme un nom propre, en relation avec la puissance du mal, cf. Ps **18** 5 (« Béliar » dans le N. T., 2 Co
6 15, et les Apocryphes).
b) Sur l'anathème, voir la note *a*, p. 32.

front pour un mort[a]. ² Car tu es un peuple consacré à Yahvé ton Dieu et Yahvé t'a choisi pour être son peuple à lui parmi tous les peuples qui sont sur la terre.

Animaux purs et impurs.
³ Vous ne mangerez rien de ce qui est abominable. ⁴ Voici les animaux que vous pourrez manger[b] : le bœuf, le mouton, la chèvre, ⁵ le cerf, la gazelle, le daim, le bouquetin, l'antilope, l'oryx, le mouflon. ⁶ Vous pourrez manger de tout animal qui a le sabot fourchu, fendu en deux ongles, et qui rumine. ⁷ Toutefois, parmi les ruminants et parmi les animaux à sabot fourchu et fendu, vous ne pourrez manger ceux-ci : le chameau, le lièvre et l'hyrax, qui ruminent mais n'ont pas le sabot fourchu; vous les tiendrez pour impurs. ⁸ Ni le porc, qui a bien le sabot fourchu et fendu mais qui ne rumine pas; vous le tiendrez pour impur. Vous ne mangerez pas de leur chair et ne toucherez pas à leurs cadavres.

⁹ Parmi tout ce qui vit dans l'eau, vous pourrez manger ceci : tout ce qui a nageoires et écailles, vous en pourrez manger. ¹⁰ Mais vous ne mangerez point de ce qui n'a pas nageoires et écailles : vous le tiendrez pour impur.

¹¹ Vous pourrez manger de tout oiseau pur[c], ¹² mais

---

a) On voit d'habitude dans ce v. la prohibition du culte des morts. Mais les rites ici prohibés sont des rites de deuil dont les prophètes semblent bien admettre la légitimité quand il s'agit d'un homme (Am **8** 10; Is **22** 12; Jr **41** 5; Ez **7** 18); aussi on peut se demander si le mort en question n'est pas ici le dieu Baal dont on célébrait la mort au début de l'été (cf. **26** 14; 1 R **18** 28) lors de la disparition de la végétation. Ainsi le paragraphe se rattache bien à ce qui précède.

b) Bien des identifications sont encore douteuses. Les critères qui permettent au législateur d'esquisser une classification n'ont qu'une valeur approximative (le lièvre n'a du ruminant que le mouvement de la bouche). L'origine de ces prohibitions (cf. Lv **11**) est encore discutée. Des raisons religieuses, hygiéniques et historiques semblent s'être conjuguées.

c) L'énumération qui suit comporte des omissions et des variantes dans les versions grecques.

voici ceux des oiseaux dont vous ne pourrez manger : le vautour-griffon[a], le gypaète, l'orfraie, [13] le milan noir, les différentes espèces de milan rouge[b], [14] toutes les espèces de corbeau, [15] l'autruche, le chat-huant, la mouette et les différentes espèces d'épervier, [16] le hibou, la chouette, l'ibis[c], [17] le pélican, le vautour blanc[d], le cormoran, [18] la cigogne et les différentes espèces de héron, la huppe, la chauve-souris. [19] Vous tiendrez toutes les bestioles ailées[e] pour impures, vous n'en mangerez pas. [20] Vous pourrez manger de tout volatile pur.

[21] Vous ne pourrez manger aucune bête crevée. Tu la donneras à l'étranger qui réside chez toi pour qu'il la mange, ou bien vends-la à un étranger du dehors. Tu es en effet un peuple consacré à Yahvé ton Dieu.

Tu ne feras pas cuire un chevreau dans le lait de sa mère[f].

La dîme annuelle. [22] Chaque année, tu devras prendre la dîme[g] de tout ce que tes semailles auront rap-

---

14 13. « *le milan noir* » da'ah *Sam G* 10 *Mss hebr.*; ra'ah *H*. — *H ajoute* « *le* dayyah ».

---

a) « Vautour » et non « aigle » (Murphy) puisqu'il s'agit d'un animal qui se nourrit de cadavres (Jb **39** 27-30; Mi **1** 16).

b) Le texte est corrompu. Les identifications du Talmud (traité *Hullin*) paraissent artificielles, celles des Septante sont contestables. Malgré les études de Tristram il reste beaucoup d'incertitudes.

c) Grec : héron, cygne et ibis.

d) Le corps et le cou sont blancs, les extrémités des ailes noires.

e) Litt. « ce qui grouille et peut voler ».

f) C'était une coutume cananéenne, cf. Ex **23** 19.

g) Les dîmes n'avaient peut-être primitivement rien à voir avec le « dixième ». Mais par assimilation aux impôts d'un cinquième perçus par le Pharaon (Gn **47** 24), d'un dixième par les rois d'Israël (1 S **8** 15), on y vit une redevance perçue par Yahvé maître du sol. D'après Dt, elle est prise sur les produits des champs et est apportée au Temple, ici vv. 22-27 et **12** 6-7, 17-19. Tous les trois ans, vv. 28-29, elle est abandonnée aux pauvres. D'après Nb **18** 21-32, elle apparaît comme un impôt, dû aux

porté dans tes champs [23] et, en présence de Yahvé ton Dieu, au lieu qu'il aura choisi pour y faire habiter son nom, tu mangeras la dîme de ton froment, de ton vin et de ton huile, les premiers-nés de ton gros et de ton petit bétail[a]; ainsi tu apprendras à toujours craindre Yahvé ton Dieu.

[24] Si le chemin est trop long pour toi, si tu ne peux pas apporter la dîme parce que le lieu choisi par Yahvé pour y faire habiter son nom est trop loin de chez toi, quand Yahvé ton Dieu t'aura béni [25] tu convertiras ce produit en argent, tu serreras l'argent dans ta main et tu iras au lieu choisi par Yahvé ton Dieu; [26] là tu échangeras cet argent contre tout ce que tu désireras, gros ou petit bétail, vin ou boisson fermentée, tout ce dont tu auras envie. Tu mangeras là en présence de Yahvé ton Dieu et tu te réjouiras, toi et ta maison. [27] Tu ne négligeras pas le lévite qui est dans tes villes, puisqu'il n'a ni part ni héritage avec toi.

La dîme triennale.   [28] Au bout de trois ans, tu prélèveras toutes les dîmes de tes récoltes en cette troisième année et tu les déposeras à tes portes[b]. [29] Viendront alors manger le lévite (puisqu'il n'a ni part ni héritage avec toi), l'étranger, l'orphelin et la veuve de ta ville, et ils s'en rassasieront. Ainsi Yahvé ton Dieu te bénira dans tous les travaux que tes mains pourront entreprendre.

---

lévites, qui en reversent le dixième aux prêtres, comme prélèvement pour Yahvé. Lv **27** 30-32 l'étend au bétail. Dt **14** 25 et Lv **27** 31 prévoient un acquittement en argent.

a) L'offrande des premiers-nés n'a pas de rapport avec la dîme. La loi les réunit ici pour traiter de leur conversion en argent.

b) C'est aux portes que se trouve la place publique.

15.   ¹ Au bout de sept
L'année sabbatique.   ans tu feras remise*ᵃ*. ² Voici
en quoi consiste la Remise.
Tout prêteur, détenteur d'un gage personnel*ᵇ* qu'il aura
obtenu en gage de son prochain, lui en fera remise; il
n'exploitera pas son prochain ni son frère, quand celui-ci
en aura appelé à Yahvé pour remise. ³ Tu pourras exploiter l'étranger, mais tu libéreras ton frère de ton droit sur
lui. ⁴ Qu'il n'y ait donc pas de pauvre chez toi. Car Yahvé
ne t'accordera sa bénédiction dans le pays que Yahvé ton
Dieu te donne en héritage, ⁵ que si tu écoutes vraiment la
voix de Yahvé ton Dieu, en gardant et pratiquant intégralement ces commandements que je te prescris aujour-
d'hui. ⁶ Si Yahvé ton Dieu te bénit comme il l'a dit, tu
prêteras sur gage à des nations nombreuses, sans avoir
besoin de leur emprunter, et tu domineras des nations
nombreuses, sans qu'elles te dominent.

⁷ Se trouve-t-il chez toi un pauvre, d'entre tes frères,
dans l'une des villes de ton pays que Yahvé ton Dieu t'a
donné ? Tu n'endurciras pas ton cœur ni ne fermeras ta
main à ton frère pauvre, ⁸ mais tu lui ouvriras ta main et
tu lui prêteras ce qui lui manque. ⁹ Ne va pas tenir en
ton cœur ces mauvais propos : « Voici bientôt la septième
année, l'année de remise », fermer alors ton visage à ton
frère pauvre et ne rien lui donner; il en appellerait à

---

a) Ce mot s'appliquait primitivement à une récolte qu'on laissait tomber
à terre au profit des pauvres (Ex **23** 11). Le vocabulaire est demeuré le
même dans des conditions économiques différentes et désigne ici l'abandon
d'une créance. Cet abandon de bien est fait au nom d'un principe religieux,
c'est pour cela que le Deutéronome en parle après avoir traité de la dîme
et avant de traiter des premiers-nés. Pour bénéficier de ce droit, il faut
un appel à Yahvé à la date fixée.

b) Le débiteur s'engage par ce contrat à travailler personnellement pour
son créancier en cas de non-remboursement (cf. H. M. WEIL, *Archives de
Droit oriental,* II, 189). Exploiter, c'est tirer profit du travail de quelqu'un.

Yahvé contre toi et tu serais chargé d'un péché ! ¹⁰ Quand
tu lui donnes, tu dois lui donner*ᵃ* de bon cœur, car pour
cela Yahvé ton Dieu te bénira dans toutes tes actions et
dans toutes tes offrandes*ᵇ*. ¹¹ Certes, les pauvres ne dis-
paraîtront point de ce pays; aussi je te donne ce commandement : Tu dois ouvrir ta main à ton frère, à celui qui
est humilié et pauvre dans ton pays*ᶜ*.

L'esclave.
¹² Si ton frère hébreu,
homme ou femme, se vend
à toi, il te servira six ans*ᵈ*.
La septième année tu le renverras libre ¹³ et, le renvoyant
libre, tu ne le renverras pas les mains vides. ¹⁴ Tu chargeras sur ses épaules*ᵉ*, à titre de cadeau, quelque produit
de ton petit bétail, de ton aire et de ton pressoir; selon
que t'aura béni Yahvé ton Dieu, tu lui donneras. ¹⁵ Tu te
souviendras que tu as été en servitude au pays d'Égypte
et que Yahvé ton Dieu t'a racheté : voilà pourquoi je te
fais aujourd'hui cette prescription*ᶠ*.

¹⁶ Mais s'il te dit : « Je ne veux pas te quitter », s'il
t'aime, toi et ta maison, s'il est heureux avec toi, ¹⁷ tu
prendras un poinçon, tu lui en perceras l'oreille contre
la porte et il sera ton serviteur pour toujours*ᵍ*. Envers
ta servante tu feras de même*ʰ*.

¹⁸ Qu'il ne te semble pas trop pénible de le renvoyer

------

a) G porte : « tu dois lui donner, tu dois lui prêter les choses qui lui
manquent ».

b) Litt. « qu'apporte ta main ».

c) Voir la réglementation beaucoup plus complexe de Lv **25**.

d) Ce paragraphe comme le précédent a pour but de réglementer le
travail de l'Hébreu.

e) Le sens du mot est incertain.

f) Voir une tentative d'application de la loi en Jr **34**.

g) Il y a là une survivance d'un rite ancien destiné à incorporer le serviteur à une famille (cf. Ex **21** 6).

h) La législation primitive (Ex **21** ₂ s) distinguait le statut de l'homme
et celui de la femme. Les conditions économiques et sociales ont changé.

en liberté : il vaut deux fois le salaire d'un mercenaire, celui qui t'aura servi six ans. Et Yahvé ton Dieu te bénira en toutes tes actions.

Les premiers-nés.

[19] Tout premier-né mâle de ta vache ou de ta brebis, tu le consacreras à Yahvé ton Dieu. Tu ne feras pas travailler le premier-né de ta vache, ni ne tondras le premier-né de ta brebis. [20] Tu le mangeras, toi et ta maison, chaque année, en présence de Yahvé ton Dieu au lieu choisi par Yahvé. [21] S'il a quelque tare, s'il est boiteux ou aveugle, n'importe quelle tare grave, tu ne l'immoleras pas à Yahvé ton Dieu; [22] tu le mangeras chez toi, purs et impurs réunis[a], comme tu mangerais de la gazelle ou du cerf; [23] seulement, tu n'en mangeras pas le sang, tu le répandras à terre comme de l'eau.

Les fêtes :
Pâque et Azymes.

16. [1] Aie soin d'observer le mois d'Abib et d'y célébrer une Pâque[b] pour Yahvé ton Dieu, car c'est au mois d'Abib que Yahvé ton Dieu, la nuit, t'a fait sortir d'Égypte. [2] Tu immoleras pour Yahvé ton Dieu une Pâque de gros et de petit bétail, au lieu choisi par Yahvé ton Dieu pour y faire habiter son nom. [3] Pendant sept jours tu ne mangeras pas, avec la victime, de pain fermenté; tu mangeras avec elle des azymes[c] — un pain de misère — car c'est en toute hâte que tu as quitté le pays

---

a) Pour bien marquer que ce repas n'a pas de caractère cultuel.

b) Les origines et l'étymologie de la Pâque sont encore très discutées. Autres textes sur la Pâque : Ex **12** et **13**; Lv **23** 5 s; Nb **28** 16 s. Seul le Deutéronome en fait une fête nationale au sanctuaire central.

c) Ces pains « de misère » évoquent soit les rudesses de la vie nomade, soit l'oppression subie en Égypte. Pour beaucoup de commentateurs, les Azymes et la Pâque furent à l'origine deux fêtes distinctes.

d'Égypte : ainsi tu te souviendras, tous les jours de ta vie, du jour où tu sortis du pays d'Égypte. [4] Pendant sept jours on ne verra pas chez toi de levain, sur tout ton territoire, et de la chair que tu auras sacrifiée le soir[a] du premier jour rien ne devra être gardé la nuit, jusqu'au matin. [5] Tu ne pourras pas immoler la Pâque dans l'une des villes que Yahvé ton Dieu t'aura données, [6] mais c'est au lieu choisi par Yahvé ton Dieu pour y faire habiter son nom que tu immoleras la Pâque, le soir au coucher du soleil[b], à l'heure de ta sortie d'Égypte. [7] Tu la feras cuire et tu la mangeras au lieu choisi par Yahvé ton Dieu, puis, au matin, tu t'en retourneras et tu iras à tes tentes. [8] Pendant six jours tu mangeras des azymes; au septième jour une réunion aura lieu pour Yahvé ton Dieu; et tu ne feras aucun travail[c].

Autres fêtes.

[9] Tu compteras sept semaines. Quand la faucille aura commencé à couper les épis, alors tu commenceras à compter ces sept semaines. [10] Puis tu célébreras pour Yahvé ton Dieu la fête des Semaines[d], avec l'offrande volontaire que fera ta main, selon que Yahvé ton Dieu te bénit. [11] En présence de Yahvé ton Dieu tu te réjouiras, au lieu choisi par Yahvé ton Dieu pour y faire habiter son nom : toi, ton fils et ta fille, ton serviteur et ta servante, le lévite établi en ta ville, l'étranger, l'orphelin et la veuve qui vivent au milieu de toi. [12] Tu te souviendras que tu as été en servitude au pays d'Égypte, et tu garderas ces lois pour les mettre en pratique.

---

a) Sam porte : « sacrifiée entre les deux soirs ».
b) Peut-être est-ce le souvenir du caractère nocturne primitif de la fête.
c) G ajoute : « sinon ce qui sera fait pour ta vie ».
d) Cette fête purement agricole et connue des Cananéens n'a pas le même caractère national que la précédente et ne dure qu'un jour. Elle célèbre la générosité divine et deviendra la fête de la Pentecôte.

¹³ Tu célébreras la fête des Tentes*ᵃ* pendant sept jours, au moment où tu rentreras le produit de ton aire et de ton pressoir. ¹⁴ Tu te réjouiras à ta fête, toi, ton fils et ta fille, ton serviteur et ta servante, le lévite et l'étranger, l'orphelin et la veuve établis dans ta ville. ¹⁵ Pendant sept jours tu feras fête à Yahvé ton Dieu au lieu choisi par Yahvé; car Yahvé ton Dieu te bénira dans toutes tes récoltes et dans tous tes travaux, pour que tu sois pleinement joyeux.

¹⁶ Trois fois par an, on verra tous les mâles de chez toi, devant Yahvé ton Dieu, au lieu qu'il aura choisi*ᵇ* : à la fête des Azymes, à la fête des Semaines, à la fête des Tentes. Aucun ne se présentera les mains vides devant Yahvé; ¹⁷ mais chacun donnera, à la mesure de la bénédiction que Yahvé ton Dieu t'aura donnée.

Les juges*ᶜ*.

¹⁸ Tu constitueras des juges et des scribes, en chacune des villes que Yahvé te donne, pour toutes tes tribus; ils jugeront le peuple en des jugements justes. ¹⁹ Tu ne porteras pas atteinte au droit, tu ne feras pas acception de personne et tu n'accepteras pas de présent, car le présent aveugle les yeux des sages et compromet la cause des justes*ᵈ*. ²⁰ C'est la stricte justice que tu rechercheras, afin de vivre et de posséder le pays que Yahvé ton Dieu te donne.

---

a) C'est la fête agricole d'automne, également connue des Cananéens. Célébrant la fin des récoltes, c'était à l'origine la fête du début de l'année nouvelle. Sur cette fête, cf. Lv **23** 34 s; Nb **29** 12 s.

b) Le pèlerinage est l'occasion d'une rencontre entre le fidèle et son Dieu surnaturellement présent. Peut-être même le texte primitif portait-il : « Tous les mâles de chez toi verront la présence de Yahvé », et a-t-il été adouci pour éviter toute apparence d'atteinte à la transcendance de Dieu.

c) Ce paragraphe intercalé dans la partie cultuelle va servir de transition pour amorcer la partie relative aux institutions.

d) Cf. **1** 6-7. La législation antérieure se trouve en Ex **23** 1-3, 6-8.

Déviations du culte. [21] Tu ne planteras pas de pieu sacré, de quelque bois que ce soit, à côté de l'autel de Yahvé ton Dieu que tu auras bâti, [22] et tu ne dresseras pas de stèle, qui serait odieuse à Yahvé ton Dieu. **17.** [1] Tu n'immoleras pas à Yahvé ton Dieu une pièce de gros ou de petit bétail qui ait une tare ou un défaut quelconque, car Yahvé ton Dieu a cela en abomination.

[2] S'il se trouve au milieu de toi, dans l'une des villes que Yahvé ton Dieu t'aura données, un homme ou une femme qui fasse ce qui déplaît à Yahvé ton Dieu, en transgressant son alliance, [3] qui aille servir d'autres dieux et se prosterner devant eux, et devant le soleil, la lune ou quelque autre de l'armée des cieux[a], ce que je n'ai pas commandé, [4] et qu'on te le dénonce; si, après l'avoir entendu et fait une bonne enquête, le fait est avéré et s'il est bien établi que cette chose abominable a été commise en Israël, [5] tu feras sortir aux portes de ta ville cet homme ou cette femme coupable de cette mauvaise action, et cet homme ou cette femme tu le lapideras jusqu'à ce que mort s'ensuive. [6] On ne pourra être condamné à mort qu'au dire de deux ou trois témoins[b], on ne sera pas mis à mort au dire d'un seul témoin. [7] Les témoins mettront les premiers la main à l'exécution du condamné, puis tout le peuple y mettra la main. Tu feras disparaître le mal du milieu de toi.

Les juges lévites. [8] Si tu as à juger un cas qui te dépasse[c], affaire de meurtre, contestation ou

---

a) Ce paragraphe qui reprend des choses déjà dites au ch. **13** et en **4** 19 y ajoute la mention du culte des astres (l'armée des cieux) qui se répandit en Juda sous l'influence assyrienne.

b) Cf. **19** 15.

c) La loi paraît s'adresser au juge local et viser le cas où il a besoin d'un appui. Mais l'interprétation n'est pas certaine.

blessure, un litige quelconque dans ta ville, tu partiras
et tu monteras au lieu choisi par Yahvé ton Dieu, ⁹ tu
iras trouver les prêtres lévites et le juge*a* alors en fonction.
Ils feront une enquête, et ils te feront connaître la sentence.
¹⁰ Tu te conformeras à la sentence qu'ils t'auront fait
connaître en ce lieu choisi par Yahvé, et tu auras soin
d'agir selon toutes leurs instructions. ¹¹ Tu te conformeras à la décision qu'ils t'auront fait connaître et à la sentence*b* qu'ils auront prononcée, sans t'écarter ni à droite
ni à gauche de la sentence qu'ils t'auront fait connaître.
¹² Si quelqu'un agit présomptueusement, n'obéissant ni
au prêtre qui se tient là pour le service de Yahvé ton Dieu,
ni au juge, cet homme mourra. Tu feras disparaître
d'Israël le mal. ¹³ Le peuple l'apprendra, craindra, et cessera d'agir avec présomption.

Les rois. ¹⁴ Lorsque tu seras arrivé
en ce pays que Yahvé ton
Dieu te donne, que tu en
auras pris possession et que tu y habiteras, si tu te dis :
« Je veux établir sur moi un roi, comme toutes les nations
d'alentour », ¹⁵ c'est un roi choisi par Yahvé que tu devras
établir sur toi, c'est quelqu'un d'entre tes frères que tu
établiras sur toi comme roi, tu ne te donneras pas un roi
étranger qui ne soit pas ton frère*c*.

¹⁶ Mais qu'il n'aille pas multiplier ses chevaux, et qu'il
ne ramène pas le peuple en Égypte pour accroître sa cava-

---

17 9. « *Ils feront une enquête* » Sam G ; « *Tu feras une enquête* » H.

a) Certains commentateurs pensent que l'une de ces deux catégories
a été rajoutée.
b) Litt. : à la « loi » (*tôrâh*); mais ce n'est pas une loi au sens actuel du
mot, c'est la solution donnée par le prêtre à un cas difficile.
c) Yahvé ne s'oppose pas à l'institution de la monarchie (cf. 1 S 8),
mais l'institution n'est pas sans danger et pourrait mettre le peuple sous
la coupe d'un idolâtre, comme Jézabel ou Athalie.

lerie, car Yahvé vous a dit : « Vous ne retournerez jamais
par ce chemin[a]. » 17 Qu'il ne multiplie pas le nombre de
ses femmes, ce qui pourrait égarer son cœur. Qu'il ne
multiplie pas à l'excès son argent et son or[b]. 18 Lorsqu'il
montera sur le trône royal, il devra écrire sur un rouleau,
pour son usage, une copie de cette Loi, sous la dictée
des prêtres lévites[c]. 19 Elle ne le quittera pas; il la lira tous
les jours de sa vie, pour apprendre à craindre Yahvé son
Dieu en gardant toutes les paroles de cette Loi, ainsi que
ces règles à appliquer. 20 Il évitera ainsi de s'enorgueillir
au-dessus de ses frères, et il ne s'écartera de ces commandements ni à droite ni à gauche. A cette condition, il aura,
lui et ses fils, de longs jours sur le trône en Israël.

Le sacerdoce lévitique.   **18.** 1 Les prêtres lévites,
toute la tribu de Lévi, n'au-
ront point de part ni d'héri-
tage avec Israël[d] : ils vivront des mets offerts[e] à Yahvé
et de son patrimoine. 2 Cette tribu n'aura pas d'héritage
au milieu de ses frères; c'est Yahvé qui sera son héritage,
ainsi qu'il le lui a dit.

3 Voici les droits des prêtres sur le peuple, sur ceux qui

a) Ceci n'est qu'en substance dans la Bible : Nb **14** 3 s; cf. **13** 17 et
14 13.

b) Ces vv. semblent faire allusion à Salomon. Cf. 1 R **10** 28 s et **11**.

c) Autre traduction selon certains : « il fera écrire par les prêtres... ».

d) Les lévites sont la tribu à laquelle se rattachait Moïse. Disséminés
dans les tribus, ils sont spécialistes du culte yahviste (cf. Jg **17** 10). Demeu-
rant dans des villes saintes ou des sanctuaires, ils vivent des biens de Dieu
leur maître, c'est-à-dire des offrandes des fidèles. Cette situation spéciale
des lévites est comprise tantôt comme un châtiment (Gn **34** 30; **49** 5-7),
tantôt comme une récompense pour leur zèle yahviste (Ex **32** 26; Nb **25**
10 s). Cf. Dt **33** 8-11.

e) « Mets offerts » : en hébreu *ishé,* mot d'origine sumérienne désignant
le mets offert à la divinité, sens conservé ici et en 1 S **2** 28. Dans le Lv
et la tradition « sacerdotale », on lui donne un sens moins matériel en le
rattachant au mot *esh,* feu, d'où sacrifice par le feu : on traduira alors « mets
consumé », Lv **1** 9, etc.

offrent un sacrifice de gros ou de petit bétail : on donnera au prêtre l'épaule, les mâchoires et l'estomac[a]. ⁴ Tu lui donneras les prémices de ton froment, de ton vin et de ton huile, ainsi que les prémices de la tonte de ton petit bétail. ⁵ Car c'est lui que Yahvé ton Dieu a choisi entre toutes tes tribus pour se tenir devant Yahvé ton Dieu, pour faire le service divin et donner la bénédiction au nom de Yahvé, lui et ses fils pour toujours.

⁶ Si le lévite séjournant en l'une de tes villes, où que ce soit en Israël, éprouve le désir de venir au lieu choisi par Yahvé[b], ⁷ il y officiera au nom de Yahvé son Dieu comme tous ses frères lévites, qui se tiennent là en présence de Yahvé, ⁸ mangeant une part égale à la leur — sans qu'on tienne compte de ses droits sur les familles lévitiques pour les biens qu'il aurait vendus[c].

Les prophètes. ⁹ Lorsque tu seras entré dans le pays que Yahvé ton Dieu te donne, tu n'apprendras pas à commettre les mêmes abominations que ces nations-là. ¹⁰ On ne trouvera chez toi personne qui fasse passer au feu son fils ou sa fille, qui pratique divination, incantation, mantique ou magie[d], ¹¹ personne qui use des

18 5. « *devant Yahvé ton Dieu* » Sam G ; *omis par H.* — « *et donner la bénédiction* » Sam G ; *omis par H.*

a) Les droits des prêtres sont précisés afin d'éviter que se renouvellent les abus des fils d'Héli à Silo (1 S 2 13). Autre législation en Lv 6 et 7.
b) Cette disposition a sans doute quelque rapport avec la loi de centralisation qui supprime les sanctuaires locaux.
c) Cette fin de v. est difficile. C'est probablement une addition inspirée par la législation de Lv 25 32 s. Les biens d'un lévite ne pouvaient passer qu'à d'autres lévites. C'est donc à l'égard d'une famille lévitique qu'il pouvait exercer le droit de rachat et de restitution au jubilé. Notre texte s'oppose à ce que l'on évalue le montant de ce droit pour diminuer sa part au sanctuaire.
d) Ces procédés magiques, difficiles à discerner les uns des autres, sont

charmes, qui interroge les spectres ou les esprits, qui invoque les morts. ¹² Car quiconque fait ces choses est en abomination à Yahvé ton Dieu, et c'est à cause de ces abominations que Yahvé ton Dieu chasse ces nations devant toi.

¹³ Tu seras parfaitement fidèle à Yahvé ton Dieu. ¹⁴ Car ces nations que tu dépossèdes écoutaient enchanteurs et devins, mais tel n'a pas été pour toi le don de Yahvé ton Dieu. ¹⁵ Yahvé ton Dieu suscitera pour toi, du milieu de toi, parmi tes frères, un prophète comme moi, que vous écouterez. ¹⁶ C'est cela même que tu as demandé à Yahvé ton Dieu, à l'Horeb, au jour de l'Assemblée : « Pour ne pas mourir, je n'écouterai plus la voix de Yahvé mon Dieu et je ne regarderai plus ce grand feu », ¹⁷ et Yahvé me dit : « Ils ont bien parlé. ¹⁸ Je leur susciterai, du milieu de leurs frères, un prophète semblable à toi*ᵃ*, je mettrai mes paroles dans sa bouche et il leur dira tout ce que je lui commanderai. ¹⁹ Si un homme n'écoute pas mes paroles que ce prophète aura prononcées en mon nom, alors c'est moi-même qui en demanderai compte à cet homme. ²⁰ Mais si un prophète a l'audace de dire en mon nom une chose que je n'ai pas commandé de dire, et s'il parle au nom d'autres dieux, ce prophète mourra*ᵇ*. »

---

rejetés par le Deutéronome comme ils l'étaient par le code de l'alliance (Ex **22** 17). Seule la prophétie est reconnue par la tradition mosaïque comme moyen de connaître les volontés et les secrets divins. Sur la lutte des prophètes contre ces superstitions, voir par exemple Is **8** 19.

a) C'est, parallèlement à l'institution de la royauté (**17** 14-20), l'institution du prophétisme, que Moïse attribue à Yahvé lors de la théophanie de l'Horeb (cf. Ex **20** 19-21 et Dt **5** 23-28), institution à laquelle font allusion, dans le N. T., saint Pierre (Ac **3** 22-26) et saint Étienne (Ac **7** 37). Sur la base de ce texte du Dt, les Juifs ont attendu le Messie comme un *nouveau Moïse*, cf. Jn **1** 21, etc. L'évangile de saint Jean soulignera le parallélisme entre Jésus et Moïse, cf. Jn **1** 17, etc.

b) Cf. Ez **3** 19; **33** 9.

²¹ Peut-être vas-tu dire en ton cœur : « Comment saurons-nous que cette parole, Yahvé ne l'a pas dite *a* ? » ²² Si ce prophète a parlé au nom de Yahvé, et que sa parole reste sans effet et ne s'accomplisse pas, alors Yahvé n'a pas dit cette chose-là. Le prophète a parlé avec présomption. Tu n'as pas à le craindre.

AUTOUR DE LA LOI DU TALION

L'homicide et les villes de refuge *b*.

19. ¹ Lorsque Yahvé ton Dieu aura fait table rase des nations dont Yahvé ton Dieu te donne le pays, que tu les auras dépossédées et que tu habiteras leurs villes et leurs maisons, ² tu mettras à part trois villes au milieu du pays que Yahvé ton Dieu te donne pour domaine. ³ Tu tiendras leurs accès en bon état, et tu diviseras en trois le territoire du pays que Yahvé ton Dieu te donne en héritage : cela afin que tout meurtrier puisse chercher refuge en ces villes. ⁴ Voici le cas de celui qui peut sauver sa vie en s'y réfugiant.

---

a) Comment distinguer vrais et faux prophètes ? Pour trancher cette question troublante (cf. 1 R **22**; Jr **28**), deux critères : fidélité à la doctrine yahviste (cf. **13**), réalisation des faits annoncés.

b) La société israélite en est encore au régime que les historiens du droit appellent la « vengeance privée » : le châtiment de l'homicide n'incombe pas à l'État justicier, mais au « vengeur du sang » (*goël*), proche parent de la victime (cf. Rt **4** 4 et 6). Par là même ce vengeur est un protecteur; aussi Dieu, dans de nombreux Psaumes, fait figure de « goël » à l'égard du pauvre et de l'opprimé. — Mais, dans la vie sociale, l'institution des villes de refuge permet déjà d'ébaucher une procédure criminelle (cf. Nb **35**). La législation deutéronomique s'insère entre les prescriptions sommaires de Ex **21** 13-14 et la codification minutieuse et technique de Nb **35** 9-34.

Quelqu'un a-t-il frappé son prochain involontairement, sans avoir contre lui de haine invétérée [5] (ainsi, il va à la forêt avec son prochain pour couper du bois, sa main brandit la hache pour abattre un arbre, le fer s'échappe du manche et s'en va frapper mortellement son compagnon) : celui-là peut fuir en l'une de ces villes et conserver la vie. [6] Il ne faudrait pas que le vengeur du sang, dans l'ardeur de sa colère, poursuivît le meurtrier, que la longueur du chemin lui permît de le rejoindre et de le frapper mortellement — cet homme qui n'est pas passible de mort, puisqu'il n'avait pas de haine invétérée contre sa victime.

[7] Je te donne donc cet ordre : « Tu mettras à part trois villes[a] », [8] et si Yahvé ton Dieu agrandit ton territoire comme il l'a juré à tes pères et te donne tout le pays qu'il a promis de donner à tes pères, — [9] à la condition que tu gardes et pratiques tous les commandements que je te prescris aujourd'hui, aimant ton Dieu et suivant toujours ses voies, — à ces trois-là tu ajouteras encore trois villes. [10] Ainsi le sang innocent ne sera pas répandu au milieu du pays que Yahvé ton Dieu te donne en héritage : autrement il y aurait du sang sur toi.

[11] Mais s'il arrive qu'un homme haïssant son prochain lui dresse une embûche, se jette sur lui et le frappe mortellement, et qu'il s'enfuie ensuite dans l'une de ces villes, [12] les anciens de sa cité l'y enverront prendre et le feront livrer au vengeur du sang, pour qu'il meure[b]. [13] Ton œil sera sans pitié. Tu feras disparaître d'Israël toute effusion de sang innocent, et tu seras heureux.

---

a) Cf. Dt **4** 41-43.
b) La doctrine yahviste introduit ainsi la considération de l'intention dans la législation pénale.

Les bornes*a*.

¹⁴ Tu ne déplaceras pas les bornes de ton prochain, posées par les ancêtres, dans l'héritage reçu au pays que Yahvé ton Dieu te donne pour domaine.

Les témoins *b*.

¹⁵ Un seul témoin ne peut suffire pour convaincre un homme de quelque faute ou délit que ce soit; quel que soit le délit, c'est au dire de deux ou trois témoins que la cause sera établie.

¹⁶ Si un témoin injuste se lève contre un homme pour l'accuser de rébellion *c*, ¹⁷ les deux hommes qui ont ainsi procès devant Yahvé comparaîtront devant les prêtres et les juges alors en fonctions. ¹⁸ Les juges feront une bonne enquête, et, s'il appert que celui qui a accusé son frère est un témoin mensonger, ¹⁹ vous le traiterez comme il méditait de traiter son frère. Tu feras disparaître le mal du milieu de toi. ²⁰ Les autres, en l'apprenant, seront saisis de crainte, et cesseront de commettre un tel mal au milieu de toi. ²¹ Ton œil sera sans pitié.

Le talion.

Vie pour vie, œil pour œil, dent pour dent, main pour main, pied pour pied *d*.

---

a) Législation plus ancienne en **27** 17.

b) Ici encore ébauche d'une procédure (cf. **17** 4). Le législateur y joint la sanction du faux témoignage.

c) Le législateur élargit la perspective en passant de « quelque délit que ce soit » à la « rébellion » (contre Yahvé), cf. **13** 6.

d) C'est la célèbre loi du talion, que l'on trouvera plus développée en Ex **21** 23 s. Il y a là une juste régulation du droit de vengeance (comparer avec la conduite de l'injuste Lamek en Gn **4** 24). Mais le Dieu créateur et miséricordieux appelle les hommes non à la vengeance mais à la miséricorde. Aussi le Christ offrira-t-il aux croyants une vie plus parfaite, plus semblable à celle de Dieu, où toute vengeance est réprouvée (Mt **5** 38 s). Cette « justice supérieure » leur est rendue possible par la venue du Messie qui selon les promesses prophétiques (Ez **36** 26 s) devait leur donner son esprit et sa vie.

**La guerre
et les combattants**[a].

20. [1] Lorsque tu partiras en guerre contre tes ennemis et que tu verras des chevaux, des chars et un peuple plus nombreux que toi, tu n'en auras pas peur; car Yahvé ton Dieu est avec toi, lui qui t'a fait monter du pays d'Égypte. [2] Quand vous serez sur le point d'engager le combat, le prêtre s'avancera et parlera au peuple. [3] Il leur dira : « Écoute, Israël, vous qui êtes aujourd'hui sur le point d'engager le combat contre vos ennemis, que votre cœur ne faiblisse pas ! N'ayez ni crainte ni angoisse, et ne tremblez pas devant eux[b]. [4] Car Yahvé votre Dieu marche avec vous, pour combattre pour vous, contre vos ennemis, et vous sauver. »

[5] Puis les scribes diront au peuple[c] :

« Qui a bâti une maison neuve et ne l'a pas encore dédiée ? Qu'il s'en aille et retourne chez lui, de peur qu'il ne périsse au combat et qu'un autre ne la dédie !

[6] « Qui a planté une vigne et n'en a pas encore cueilli les premiers fruits ? Qu'il s'en aille et retourne chez lui, de peur qu'il ne périsse au combat et qu'un autre n'en cueille les premiers fruits !

[7] « Qui s'est fiancé à une femme et ne l'a pas encore épousée ? Qu'il s'en aille et retourne chez lui, de peur

---

a) Le rédacteur a probablement vu dans les vv. 5-7 une application d'une idée de rétribution semblable au talion. Le Dieu juste ne permet pas que l'on frustre du bénéfice de son travail celui qui a posé l'acte initial.

b) Thème deutéronomique, cf. **1** 29; **3** 22, etc.

c) Ces trois recommandations s'inspirent d'idées très simples. La Divinité est maîtresse du sol : la dédicace est donc un rite nécessaire lorsque l'on bâtit une maison. Maîtresse de la fécondité végétale : c'est un acte religieux que de « cueillir les premiers fruits » (littéralement : « désécrer », « profaner »). Maîtresse de la fécondité humaine : d'où le caractère religieux des fiançailles et de la « prise » de l'épouse qui conclut le mariage. La communauté, en le méconnaissant, s'aliénerait la Divinité dont elle attend l'aide dans le combat.

qu'il ne périsse au combat et qu'un autre ne l'épouse ! »

⁸ Les scribes diront encore ceci au peuple : « Qui a peur et sent mollir son courage ? Qu'il s'en aille et retourne chez lui, afin de ne pas faire fondre comme le sien le cœur de ses frères *a* ! »

⁹ Puis, les scribes ayant achevé de parler au peuple, on placera à sa tête des chefs de troupe.

La conquête des villes. ¹⁰ Lorsque tu t'approcheras d'une ville pour l'attaquer, tu lui proposeras la paix. ¹¹ Si elle l'accepte et t'ouvre ses portes, tout le peuple qui s'y trouve te devra la corvée et le travail. ¹² Mais si elle refuse la paix et ouvre les hostilités, tu l'assiégeras. ¹³ Yahvé ton Dieu la livrera en ton pouvoir, et tu en passeras tous les mâles au fil de l'épée. ¹⁴ Les femmes toutefois, les enfants, le bétail, tout ce qui se trouve dans la ville, toutes ses dépouilles, tu les prendras comme butin. Tu mangeras les dépouilles de tes ennemis que Yahvé ton Dieu t'aura livrés.

¹⁵ C'est ainsi que tu traiteras les villes très éloignées de toi, qui n'appartiennent pas à ces nations-ci. ¹⁶ Quant aux villes de ces peuples que Yahvé ton Dieu te donne en héritage, tu n'en laisseras rien subsister de vivant. ¹⁷ Oui, tu les dévoueras à l'anathème, ces Hittites, ces Amorites, ces Cananéens, ces Perizzites, ces Hivvites, ces Jébuséens *b*, ainsi que te l'a commandé Yahvé ton Dieu, ¹⁸ afin qu'ils ne vous apprennent pas à pratiquer toutes ces abominations qu'ils observent pour leurs dieux : vous pécheriez contre Yahvé votre Dieu !

----

a) Complément à ces dispositions archaïques, d'une inspiration proprement deutéronomique (cf. **7** 17) : fraternité, force d'âme, confiance en Dieu. Voir aussi Jg **7** 3 (dans l'histoire de Gédéon).

b) Énumération un peu différente dans Sam et G.

¹⁹ Si, en attaquant une ville, tu dois l'assiéger longtemps pour la prendre, tu ne mutileras pas ses arbres en
y portant la hache; tu t'en nourriras sans les abattre*ᵃ*.
Est-il homme, l'arbre des champs, pour que tu le traites
en assiégé ? ²⁰ Cependant, les arbres que tu sais n'être pas
des arbres fruitiers, tu pourras les mutiler, les abattre,
et en faire des ouvrages de siège contre cette ville en guerre
contre toi, jusqu'à ce qu'elle succombe.

Cas du meurtrier
inconnu *ᵇ*.

21. ¹ Si l'on découvre,
sur la terre que Yahvé ton
Dieu te donne pour domaine,
un homme assassiné gisant
dans la campagne, sans qu'on sache qui l'a frappé, ² tes
anciens et tes scribes *ᶜ* iront mesurer la distance entre la
victime et les villes d'alentour, ³ et détermineront quelle
est la ville la plus proche de la victime. Puis les anciens
de cette ville prendront une génisse qu'on n'ait pas encore
fait travailler ni tirer sous le joug *ᵈ*. ⁴ Les anciens de cette
ville feront descendre la génisse à un cours d'eau qui ne

---

21 2. « *tes scribes* » šoṭerêka *Sam ;* « *tes juges* » šopeṭêka *H.*

---

a) Cette disposition est encore inspirée par le respect de la vie qui
caractérise les religions du temps. Mais le législateur israélite introduit
une distinction rationnelle entre les arbres fruitiers et ceux dont on peut
faire du matériel de siège.

b) Après cette digression le législateur revient aux crimes et délits. Il
s'agit ici d'éviter que la famille de la victime n'exerce à l'aveugle le droit
de vengeance qui, pour elle, était aussi un devoir. Ici encore le législateur
israélite n'a pas inventé la solution (qui reflète les idées du temps), mais il
l'a retouchée pour y introduire des idées deutéronomiques (v. 8 sur le sang
innocent, cf. **19** 10; v. 6 sur les lévites, cf. **17** 8).

c) Ce terme, que l'on trouve dans le texte samaritain, paraît préférable
au banal « juges » du grec et de l'hébreu. Ce sont les scribes, notaires des
villages, qui vont effectuer les mensurations.

d) On notera le souci de rester le plus près possible de la nature. De
même que les pierres de l'autel ne devaient pas être travaillées par la main
de l'homme (Ex **20** 25), de même la génisse et le lieu d'exécution ne doivent
pas avoir été profanés par un travail humain.

tarit pas, en un lieu qui n'a été ni travaillé ni ensemencé,
et là, sur le cours d'eau*a*, ils briseront la nuque de la génisse.
⁵ Les prêtres fils de Lévi s'approcheront; car ce sont eux
que Yahvé ton Dieu a choisis pour son service et pour
donner la bénédiction au nom de Yahvé, et il leur revient
de prononcer sur toute contestation et sur toute voie de
fait. ⁶ Alors, tous les anciens de la ville la plus proche de
l'homme tué se laveront les mains dans le cours d'eau,
sur la génisse abattue. ⁷ Ils prononceront ces paroles :
« Nos mains n'ont pas versé ce sang et nos yeux n'ont
rien vu. ⁸ Fais l'expiation pour Israël ton peuple, toi
Yahvé qui l'as délivré, et ne laisse pas verser un sang
innocent au milieu d'Israël ton peuple; que ce sang
devienne pour eux sang d'expiation*b*. » ⁹ Mais toi, tu
feras disparaître du milieu de toi toute effusion de sang
innocent, si tu veux faire ce qui est juste aux yeux de
Yahvé.

AUTOUR DU MARIAGE

Les captivesᶜ.

¹⁰ Lorsque tu partiras en
guerre contre tes ennemis,
que Yahvé ton Dieu les
auras livrés en ton pouvoir et que tu leur auras fait des
prisonniers, ¹¹ si tu vois parmi les captifs une femme bien
faite et que tu t'en éprennes, tu pourras la prendre pour
femme ¹² et l'amener en ta maison. Elle se rasera la tête,

a) Symbole d'origine magique : l'eau emporte l'impureté (cf. Lv **14** 6).
b) Pour l' « expiation » par le sang, voir Lv **1** 4 et surtout **17** 11 s. Le
mot évoquait peut-être à l'origine un assainissement, une guérison. La
prière des anciens demande à Dieu une sorte de *sanatio in radice* pour le
pays pollué par ce meurtre. Cf. **19** 10, 13 sur le « sang innocent ».
c) Ce paragraphe, détaché des lois sur la guerre, amorce les questions
de droit familial et matrimonial.

se coupera les ongles[a] 13 et quittera son vêtement de captive; elle demeurera dans ta maison et pleurera tout un mois son père et sa mère. Ensuite tu pourras t'approcher d'elle, agir en mari, et elle sera ta femme. 14 S'il arrive qu'elle cesse de te plaire, tu la laisseras partir à son gré, sans la vendre à prix d'argent : tu ne dois pas en tirer profit, puisque tu as usé d'elle[b].

Droit d'aînesse.

15 Si un homme a deux femmes, l'une qu'il aime et l'autre qu'il n'aime pas[c], et que la femme aimée et l'autre lui donnent des fils, s'il arrive que l'aîné soit de la femme qu'il n'aime pas, 16 cet homme ne pourra pas, au jour de distribuer ses biens à ses fils, traiter en aîné le fils de la femme qu'il aime, au détriment du fils de la femme qu'il n'aime pas, l'aîné véritable[d]. 17 Mais il reconnaîtra l'aîné dans le fils de celle-ci, en lui donnant double part de tout ce qu'il possède : car ce fils, prémices de sa vigueur, détient le droit d'aînesse.

Le fils indocile.

18 Si un homme a un fils dévoyé et indocile, qui ne veut écouter ni la voix de son père ni la voix de sa mère[e], et qui, puni par eux, ne les écoute pas davantage, 19 son père et sa mère se saisiront de lui et l'amèneront dehors aux anciens de la ville, à la porte du lieu. 20 Ils diront aux anciens de sa ville : « Notre fils que voici se dévoie, il est indocile et ne nous écoute pas, il est débauché[f] et buveur. » 21 Alors tous ses

---

a) Rites de deuil.

b) Qu'il la vende ou qu'il en use, mais qu'il ne prétende pas en tirer double profit.

c) Ce fut le cas de Jacob (Gn **29**) et d'Elqana (1 S **1**).

d) La primogéniture dépend de la nature, donc de Dieu, et non du caprice des hommes.

e) Sur la place importante de la mère en Israël, cf. Pr **10** 1.

f) Peut-être plus exactement : « banqueteur ».

concitoyens le lapideront jusqu'à ce que mort s'ensuive. Tu feras disparaître le mal du milieu de toi, tout Israël l'entendra dire et craindra.

Prescriptions diverses[a]. ²² Si un homme, coupable d'un crime capital, a été mis à mort, et que tu l'aies pendu à un arbre, ²³ son cadavre ne pourra être laissé la nuit sur l'arbre; tu l'enterreras le jour même, car un pendu est une malédiction de Dieu, et tu ne souilleras pas la terre[b] que Yahvé ton Dieu te donne en héritage.

22. ¹ Si tu vois vagabonder le bœuf de ton frère ou quelque pièce de son petit bétail, tu ne te déroberas pas, mais tu les ramèneras à ton frère. ² Si ton frère n'est pas de ton voisinage ou si tu ne le connais pas, tu les recueilleras chez toi et tu les garderas avec toi jusqu'à ce que ton frère vienne les chercher; alors tu les lui rendras.

³ Ainsi feras-tu pour son âne, ainsi feras-tu pour son manteau, ainsi feras-tu pour tout objet perdu par ton frère et que tu trouveras; tu n'as pas le droit de te dérober[c].

⁴ Tu ne t'esquiveras pas en voyant tomber en chemin l'âne ou le bœuf de ton frère, mais tu aideras ton frère à le relever.

⁵ Une femme ne portera pas un costume masculin, et

---

a) Ce n'est pas la logique qui a inspiré le groupement de ces dispositions (voir l'Introduction), mais de simples associations d'idées suivant la mentalité du temps.

b) Un cadavre est impur; dans l'obscurité un individu aurait pu s'y heurter et contracter son impureté. La terre est le pays d'Israël, souillé par l'impureté de ses habitants (Ez **36** 17). Saint Paul a appliqué ce texte à la crucifixion du Christ (Ga **3** 13). Suspendu au bois de la croix le Christ a subi pour nous l'effet des malédictions de la loi, et la loi lui fut appliquée (Jn **19** 31).

c) Ancienne disposition (Ex **23** 4 s) reprise dans l'esprit de fraternité du Deutéronome.

un homme ne mettra pas un vêtement de femme[a]; quiconque agit ainsi est en abomination à Yahvé ton Dieu.

[6] Si tu rencontres en chemin un nid d'oiseau avec des oisillons ou des œufs, sur un arbre ou à terre, et que la mère soit posée sur les oisillons ou les œufs, tu ne prendras pas la mère sur les petits[b]. [7] Laisse partir la mère; ce sont les petits que tu prendras pour toi. Ainsi auras-tu prospérité et longue vie.

[8] Quand tu bâtiras une maison neuve, tu feras au toit un parapet; ainsi ta maison n'encourra pas la vengeance du sang au cas où quelqu'un viendrait à tomber.

[9] Tu ne sèmeras pas autre chose dans ta vigne, de peur de rendre sacrée la récolte : et le produit de ta semence, et le fruit de ta vigne[c].

[10] Tu ne laboureras pas avec un bœuf et un âne ensemble.

[11] Tu n'auras pas de vêtement tissé mi-laine mi-lin[d].

[12] Tu feras des glands[e] aux quatre bords de l'habit dont tu te couvriras.

**Atteintes
à la réputation
d'une jeune femme.**

[13] Si un homme épouse une femme, s'unit à elle et ensuite la prend en aversion, [14] et qu'il lui impute alors des fautes[f] et la diffame publi-

---

a) Allusion à des coutumes cananéennes, connues par exemple du grec Lucien.

b) Respect de la maternité, source de vie.

c) Ce qui est planté sur le même sol que la vigne participerait aux mêmes interdits religieux, alors que ce qui convient à l'un ne convient pas à l'autre.

d) Autres prohibitions dirigées contre la magie qui se plaît aux mélanges bizarres (cf. Ez 4 9). Voir la systématisation de ces prohibitions en Lv **19** 19.

e) Ces glands sont des franges nouées en forme de glands, mode mésopotamienne connue en Syro-Palestine. Peut-être notre texte réagit-il contre les modes égyptiennes qui ignoraient semblables franges. Ce sont les modes assyriennes que combat Sophonie (**1** 9). Voir aussi Nb **15** 37.

f) « fautes », litt. « actes de paroles », c'est-à-dire pouvant entraîner contestations et procès.

quement en disant : « Cette femme que j'ai épousée et dont je me suis approché, je ne lui ai pas trouvé les signes de la virginité », [15] le père de la jeune femme et sa mère prendront les signes de sa virginité et les produiront devant les anciens de la ville, à la porte. [16] Le père de la jeune femme dira alors aux anciens : « Ma fille que j'ai donnée pour femme à cet homme, il l'a prise en aversion, [17] et voici qu'il lui impute des fautes en disant : ' Je n'ai pas trouvé à ta fille les signes de la virginité. ' Or, voici les signes de la virginité de ma fille. » Et ils déploieront le linge devant les anciens de la cité. [18] Les anciens de cette cité se saisiront de l'homme, le châtieront [19] et lui inflige-ront une amende de cent pièces d'argent, qu'ils donneront au père de la jeune femme, pour avoir diffamé publique-ment une vierge d'Israël. Il l'aura pour femme et ne pourra jamais la répudier.

[20] Mais si la chose est avérée, et qu'on n'ait pas trouvé à la jeune femme les signes de la virginité, [21] on la fera sortir à la porte de la maison de son père et ses conci-toyens la lapideront jusqu'à ce que mort s'ensuive, pour avoir commis une infamie en Israël en déshonorant la maison de son père. Tu feras disparaître le mal du milieu de toi.

[22] Si l'on prend sur le fait

Adultère et fornication[a]. un homme couchant avec une femme mariée, tous deux mourront : l'homme qui a couché avec la femme et la femme elle-même. Tu feras disparaître d'Israël le mal.

[23] Si une jeune fille vierge est fiancée à un homme, qu'un autre homme la rencontre dans la ville et couche avec elle, [24] vous les conduirez tous deux à la porte de cette

---

a) Législation plus détaillée en Lv **20**.

ville et vous les lapiderez jusqu'à ce que mort s'ensuive :
la jeune fille parce qu'elle n'a pas appelé au secours dans
la ville, et l'homme parce qu'il a usé de la femme de son
prochain. Tu feras disparaître le mal du milieu de toi.
²⁵ Mais si c'est dans la campagne que l'homme a rencontré
la jeune fille fiancée, qu'il l'a violentée et couché avec elle,
l'homme qui a couché avec elle mourra seul; ²⁶ tu ne feras
rien à la jeune fille, il n'y a pas en elle de crime qui mérite
la mort. Le cas est semblable à celui d'un homme qui se
jette sur son prochain pour le tuer : ²⁷ car c'est à la campagne qu'il l'a rencontrée, et la jeune fille fiancée a pu
crier sans que personne vienne à son secours.

²⁸ Si un homme rencontre une jeune fille vierge qui
n'est pas fiancée, la saisit et couche avec elle, pris sur le
fait, ²⁹ l'homme qui a couché avec elle donnera au père de
la jeune fille cinquante pièces d'argent; elle sera sa femme,
puisqu'il a usé d'elle, et il ne pourra jamais la répudier.

23. ¹ Un homme ne prendra pas l'épouse de son père,
et il ne retirera pas d'elle le pan du manteau de son père*a*.

23. ¹

**Cas d'exclusion
du culte** *b*.

²

²L'homme aux testicules
écrasés, ou à la verge coupée,
ne sera pas admis à l'assemblée de Yahvé. ³ Le Bâtard*c*
ne sera pas admis à l'assemblée de Yahvé; même ses des-

---

a) « Étendre le pan (du manteau) » sur une femme signifiait l'épouser
(Rt **3** 9; Ez **16** 8). « Retirer le pan » exprime l'acte contraire, une atteinte
aux droits du mari sur sa femme. L'acte du fils, même après le décès du
père, serait une atteinte aux droits de celui-ci. Cf. **27** 20. — G et Vulg
commencent le ch. **23** au v. 2 de H, d'où un décalage d'une unité dans leur
numérotation des vv.

b) Voir aussi pour les prêtres Lv **21** 17-23. Mais Is **56** 3-5 laisse entrevoir
pour l'avenir d'autres dispositions.

c) Mot difficile. Il semble qu'il s'agisse d'une population bâtarde résul-
tant de croisements entre Hébreux et Philistins (cf. Za **9** 6; Ne **13** 23).
Ammonites et Moabites sont également apparentés aux Israélites (Gn **19**
30 s).

cendants à la dixième génération ne seront pas admis à
³ l'assemblée de Yahvé. ⁴ L'Ammonite et le Moabite ne
seront pas admis à l'assemblée de Yahvé; même leurs
descendants à la dixième génération ne seront pas admis
⁴ à l'assemblée de Yahvé, et cela pour toujours; ⁵ parce
qu'ils ne sont pas venus à votre rencontre avec du pain
et de l'eau quand vous étiez en route à la sortie d'Égypte,
et parce qu'il a payé pour te maudire Balaam fils de Béor[a],
⁵ de Pétor en Aram des Deux-Fleuves[b]. ⁶ Mais Yahvé ton
Dieu ne consentit pas à écouter Balaam et Yahvé ton
Dieu changea pour toi la malédiction en bénédiction, car
⁶ Yahvé ton Dieu t'aimait. ⁷ Jamais, tant que tu vivras, tu
ne rechercheras leur prospérité et leur bonheur.

⁷   ⁸ Tu ne tiendras pas l'Édomite[c] pour abominable, car
c'est ton frère; ni l'Égyptien, car tu as été un étranger
⁸ dans son pays. ⁹ A la troisième génération, leurs descendants seront admis à l'assemblée de Yahvé.

⁹   ¹⁰ Quand tu iras camper
Pureté du camp.   contre tes ennemis, tu te
¹⁰   garderas de tout mal. ¹¹ S'il
se trouve parmi les tiens un homme qui ne soit pas en
état de pureté, par suite d'une pollution nocturne, il sor-
¹¹ tira du camp et n'y rentrera pas. ¹² Vers le soir, il se lavera,
et au coucher du soleil il pourra rentrer au camp[d].

¹²   ¹³ Tu auras un endroit hors du camp et c'est là que tu
¹³ iras, au dehors. ¹⁴ Tu auras une pioche dans ton équipe-
ment, et quand tu iras t'accroupir au dehors, tu donneras
¹⁴ un coup de pioche et tu recouvriras tes ordures. ¹⁵ Car

---

a) Cf. Nb **22-24**; **31** 8.
b) Partie des territoires araméens situés près de l'Euphrate.
c) Cette disposition favorable est exceptionnelle dans la Bible et l'on
n'en trouve plus trace après la prise de Jérusalem par Nabuchodonosor
allié aux Édomites (voir la prophétie d'Abdias et Ps **137** 7).
d) Sam s'inspire ici de Lv **16** 26.

Yahvé ton Dieu parcourt l'intérieur du camp pour te protéger et te livrer tes ennemis. Aussi ton camp doit-il être
une chose sainte, Yahvé ne doit rien voir chez toi de
dégoûtant[a]; il se détournerait de toi !

AUTOUR DE LA PROTECTION DES FAIBLES

15

**Protection
de l'Israélite.**

16

[16] Tu ne laisseras pas en-
fermer par son maître un
esclave qui sera venu à toi
pour lui échapper. [17] Il de-
meurera avec toi, parmi les tiens, au lieu qu'il aura choisi
dans l'une de tes villes où il se trouvera bien; tu ne le
molesteras pas.

17   [18] Il n'y aura pas de prostituée sacrée parmi les filles
d'Israël[b], ni de prostitué sacré parmi les fils d'Israël.

18   [19] Tu n'apporteras pas à la maison de Yahvé ton Dieu le
salaire d'une prostituée ni le paiement d'un chien, quel
que soit le vœu que tu aies fait : car tous deux sont en
abomination à Yahvé ton Dieu.

19   [20] Tu ne prêteras pas à intérêt à ton frère[c], qu'il s'agisse
d'un prêt d'argent, ou de vivres, ou de quoi que ce soit
20   dont on exige intérêt. [21] A l'étranger tu pourras prêter
à intérêt, mais tu prêteras sans intérêt à ton frère, afin
que Yahvé ton Dieu te bénisse pour toutes tes offrandes[d],

---

a) Sur le mot hébreu, cf. **24** 1.

b) Il s'agit encore de coutumes syriennes, connues de Lucien et de
Strabon. « Chien », au v. suivant, désigne par mépris le prostitué. La prosti-
tution sacrée comme la hiérogamie jouaient un grand rôle dans les religions
de l'ancien Orient. C'était une des tares des cultes cananéens, cf. le Baal
de Péor, Nb **25**. Elle avait contaminé Israël, 1 R **14** 24; **22** 47; 2 R **23** 7;
Os **4** 14.

c) Cf. **15** 6.

d) Litt. « apports », cf. **15** 10.

au pays où tu vas entrer pour en prendre possession.
21   ²² Si tu fais un vœu à Yahvé ton Dieu, tu ne tarderas
pas à l'acquitter : nul doute que Yahvé ton Dieu te le
22 réclame, et tu te chargerais d'un péché. ²³ Mais si tu
t'abstiens de vœu, tu ne te chargeras pas d'un péché.
23 ²⁴ Ce qui sort de ta bouche, tiens-le, et exécute le vœu
que tu as fait librement à Yahvé ton Dieu, de ta propre
bouche.

24   ²⁵ Si tu passes dans la vigne de ton prochain, tu pourras
manger du raisin à ton gré, jusqu'à satiété, mais tu n'en
25 mettras pas dans ton panier. ²⁶ Si tu traverses les moissons
de ton prochain, tu pourras arracher des épis avec la main,
mais tu ne porteras pas la faucille sur la moisson de ton
prochain[a].

24. ¹ Soit un homme qui
Divorce. a pris une femme et consommé son mariage; mais
cette femme n'a pas trouvé grâce à ses yeux, et il a découvert une tare à lui imputer[b]; il a donc rédigé pour elle
un acte de répudiation et le lui a remis, puis il l'a renvoyée
de chez lui; ² elle a quitté sa maison, s'en est allée et a
appartenu à un autre homme. ³ Si alors cet autre homme
la prend en aversion, rédige pour elle un acte de répudiation, le lui remet et la renvoie de chez lui (ou si vient
à mourir cet autre homme qui l'a prise pour femme), ⁴ son
premier mari qui l'a répudiée ne pourra la reprendre pour
femme, après qu'elle s'est ainsi souillée. Car il y a là une

---

a) On admirera l'équilibre et la psychologie de ces dispositions. Les
Apôtres les appliqueront dans leurs marches à travers la Galilée (cf. Mc
2 23).
b) Litt. « il a trouvé en elle une nudité de parole », quelque défaut
physique qui pourrait être plaidé en divorce et qui provoque le dégoût
(comme l'impureté dans le camp « dégoûte » Yahvé, **23** 15). Le judaïsme a
voulu fonder sur ce texte, où il voyait la faute morale et non plus le défaut
physique, une théorie des cas de divorce. Cf. Mt **19** 3 s.

abomination aux yeux de Yahvé et tu ne dois pas faire
pécher le pays que Yahvé ton Dieu te donne en héritage.

**Autres mesures
de protection.**

⁵ Si un homme vient de
prendre femme, il n'ira pas
à l'armée et on ne viendra
pas chez lui l'importuner*ᵃ*,
il restera un an chez lui, quitte de toute affaire, pour
réjouir la femme qu'il a prise.

⁶ On ne prendra pas en gage le moulin ni la meule*ᵇ* :
ce serait prendre la vie même en gage.

⁷ Si on trouve un homme qui enlève l'un de ses frères,
parmi les enfants d'Israël, — qu'il l'exploite lui-même
ou qu'il le vende, — ce voleur mourra*ᶜ*. Tu feras disparaître le mal du milieu de toi.

⁸ En cas de lèpre, prends garde d'observer soigneu-
sement et de suivre intégralement tout ce que vous ensei-
gneront les prêtres lévites*ᵈ*. Vous observerez et mettrez
en pratique ce que je leur aurai commandé. ⁹ Rappelle-toi
ce que Yahvé ton Dieu a fait à Miryam*ᵉ*, quand vous
étiez en route au sortir d'Égypte.

¹⁰ Si tu prêtes à gage à ton prochain, tu n'entreras pas
dans sa maison pour saisir le gage, quel qu'il soit. ¹¹ Tu
te tiendras dehors et l'homme auquel tu prêtes t'appor-
tera le gage dehors. ¹² Et si c'est un homme d'humble
condition, tu n'iras pas te coucher en gardant son gage*ᶠ*;

a) Dispense générale de tout service public, cf. **20** 7.
b) Litt. « la double meule et la meule mobile ». Le moulin domestique,
indispensable à la vie familiale, comprenait la meule inférieure, « dormante »,
et la meule supérieure, mobile.
c) Comparer avec l'ancienne législation de Ex **21** 16.
d) Les mesures contre la lèpre et sa contagion sont systématisées en
Lv **13-14**.
e) Cf. Nb **12** 10 s. Il s'agit d'une réclusion de sept jours hors du camp.
f) Litt. « tu n'iras pas te coucher *dans* son gage », car à l'origine il ne
s'agissait que du manteau (Ex **23** 25 s).

¹³ tu le lui rendras au coucher du soleil, il se couchera dans son manteau, il te bénira et ce sera une bonne action aux yeux de Yahvé ton Dieu.

¹⁴ Tu n'exploiteras pas le salarié humble et pauvre, qu'il soit d'entre tes frères ou étranger en résidence chez toi. ¹⁵ Chaque jour tu lui donneras son salaire, sans laisser le soleil se coucher sur cette dette; car il est pauvre et il attend impatiemment ce salaire. Ainsi n'en appellera-t-il pas à Yahvé contre toi. Autrement tu serais en faute.

¹⁶ Les pères ne seront pas mis à mort pour les fils, ni les fils pour les pères. Chacun sera mis à mort pour son propre crime[a].

¹⁷ Tu ne porteras pas atteinte au droit de l'étranger, et tu ne prendras pas en gage le vêtement de la veuve[b]. ¹⁸ Souviens-toi que tu as été en servitude au pays d'Égypte et que Yahvé ton Dieu t'en a racheté. Aussi je te prescris de mettre ce précepte en pratique.

¹⁹ Lorsque tu feras la moisson dans ton champ[c], si tu oublies une gerbe au champ, ne reviens pas la chercher. Elle sera pour l'étranger, l'orphelin et la veuve, afin que Yahvé ton Dieu te bénisse dans toutes tes œuvres.

²⁰ Lorsque tu gauleras ton olivier, tu n'iras rien y rechercher ensuite. Ce qui restera sera pour l'étranger, l'orphelin et la veuve.

---

a) Texte très important sur la responsabilité individuelle (voir **7** 10); cité 2 R **14** 6. Cf. Jr **31** 29 et Ez **18**.

b) Le texte n'est pas sûr.

c) Les trois dispositions parallèles qui suivent, inspirées par de vieux usages agraires (ainsi on laissait sur place une gerbe pour l'esprit du champ ou le dieu de la moisson) s'achèvent par une justification globale, d'esprit yahviste. Yahvé étant Dieu créateur, on pouvait conserver le rite, mais celui-ci prend un sens fraternel, conformément aux exigences de Yahvé, Dieu moral. La gerbe réservée est abandonnée aux indigents de son peuple (de même que la récolte réservée tous les sept ans, cf. Ex **23** 11; voir aussi Dt **26** 12 s). Ruth ira ainsi glaner dans le champ de Booz (Rt **2**).

²¹ Lorsque tu vendangeras ta vigne, tu n'iras rien y grappiller ensuite. Ce qui restera sera pour l'étranger, l'orphelin et la veuve.

²² Et tu te souviendras que tu as été en servitude au pays d'Égypte; aussi je te prescris de mettre ce précepte en pratique.

25. ¹ Lorsque des hommes auront une contestation, ils iront en justice pour qu'on prononce entre eux : on donnera raison à qui a raison et tort à qui a tort*a*. ² Si celui qui a tort mérite des coups, le juge le fera étendre à terre en sa présence, et frapper d'un nombre de coups proportionnel à ses torts. ³ Il pourra lui infliger quarante coups, mais pas davantage, de peur qu'en frappant davantage la meurtrissure ne soit grave et que ton frère ne soit avili à tes yeux*b*.

⁴ Tu ne muselleras pas le bœuf quand il foule le grain*c*.

La loi du lévirat*d*.

⁵ Si des frères demeurent ensemble et que l'un d'eux vienne à mourir sans enfant,

---

a) Litt. « on déclarera juste le juste et pervers le pervers ».

b) « Avili » ou « marqué », comme un esclave marqué au fer rouge (Jr **29** 22). Aussi au temps de saint Paul s'arrêtait-on à 39 coups (2 Co **11** 24).

c) Texte qui étonnait saint Paul (1 Co **9** 9), mais écho d'une coutume qui prévaut encore. Elle reflète le même esprit que les vv. 19 s : le propriétaire ne doit pas aller jusqu'au bout de son droit.

d) Institution célèbre, fort répandue chez les primitifs, connue sans doute des Hittites et des Assyriens, et dont la Bible parle à plusieurs reprises (Gn **38**; Rt **4**). Le Deutéronome n'en connaît qu'une forme très limitée, vestige sans doute d'un état social antérieur où la famille patriarcale était plus forte et où il fallait assurer la stabilité du bien de famille; aussi le lévirat ne s'applique-t-il qu'au cas de cohabitation de deux frères et en l'absence d'enfant. On discute encore sur le sens de l'institution. Notre texte y attache une idée familiale, donc religieuse en Israël où le culte de Yahvé est lié à l'appartenance raciale. Peut-être à l'origine s'agissait-il d'une protection de la femme qui, ayant envers le nouveau chef de famille les mêmes devoirs qu'envers l'ancien, obtenait également les mêmes droits. On sait l'argument que les Sadducéens tiraient de cette loi contre la doctrine de la Résurrection (Mt **22** 23 s).

la femme du défunt ne se mariera pas au dehors avec un homme d'une famille étrangère. Son « lévir »[a] viendra à elle, il exercera son lévirat en la prenant pour épouse [6] et le premier-né qu'elle enfantera relèvera le nom de son frère défunt, dont ainsi le nom ne sera pas effacé d'Israël. [7] Mais si cet homme refuse de prendre celle dont il doit être le lévir, elle ira trouver les anciens à la porte et dira : « Je n'ai pas de lévir qui veuille relever le nom de son frère en Israël, il ne consent pas à exercer en ma faveur son lévirat. » [8] Les anciens de sa cité convoqueront cet homme et lui parleront. Ayant comparu, il dira : « Je refuse de la prendre. » [9] Celle à qui il doit le lévirat s'approchera de lui en présence des anciens, lui ôtera sa sandale du pied, lui crachera au visage et prononcera ces paroles : « Ainsi fait-on à l'homme qui ne relève pas la maison de son frère », [10] et le nom de cet homme sera ainsi qualifié en Israël : « Maison du déchaussé[b] ».

La pudeur dans les rixes. [11] Lorsque des hommes se battent ensemble, un homme et son frère, si la femme de l'un d'eux s'approche et, pour dégager son mari des coups de l'autre, avance la main et saisit celui-ci par les parties honteuses[c], [12] tu lui couperas la main sans un regard de pitié.

---

a) Le latin *levir*, « beau-frère », est l'équivalent traditionnel de l'hébreu *yâbâm*. Mais le verbe qui en dérive et l'emploi du mot dans les textes de Ras Shamra suggèrent une notion d'un autre ordre sans permettre des précisions sûres.

b) C'est un rite de dépossession (cf. Rt 4 8). Le survivant, copropriétaire de son frère, dispose désormais seul de la maison et des biens. Mais son refus d'épouser la veuve n'a pas d'autre sanction que cette désignation infamante.

c) « Frère » semble devoir être pris ici au sens étroit, comme dans le texte précédent. La femme voudrait empêcher son beau-frère d'avoir une descendance. Cette disposition archaïque paraît inspirée par le caractère sacré de la génération.

Appendices.

¹³ Tu n'auras pas dans ton sac poids et poids*a*, l'un lourd et l'autre léger. ¹⁴ Il n'y aura pas dans ta maison mesure et mesure, l'une grande et l'autre petite*b*. ¹⁵ Tu auras un poids intact et exact, et tu auras une mesure entière et exacte, afin d'avoir longue vie sur la terre que Yahvé ton Dieu te donne. ¹⁶ Car Yahvé ton Dieu a en abomination quiconque pratique ces choses, quiconque exerce la fraude.

¹⁷ Rappelle-toi ce que t'a fait Amaleq quand vous étiez en chemin à votre sortie d'Égypte*c*. ¹⁸ Il vint à ta rencontre sur le chemin et, par derrière, après ton passage, il attaqua les éclopés ; quand tu étais las et exténué, il n'eut pas crainte de Dieu. ¹⁹ Lorsque Yahvé ton Dieu t'aura établi à l'abri de tous vos ennemis alentour, au pays dont Yahvé ton Dieu te donne le domaine en héritage, tu effaceras le souvenir d'Amaleq de dessous les cieux. N'oublie pas !

PRESCRIPTIONS RITUELLES *d*

Les prémices*e*.

26. ¹ Lorsque tu parviendras au pays que Yahvé ton Dieu te donne en héritage,

---

a) Litt. « pierre ».

b) Cf. Am **8** 5 ; Os **12** 8 ; Mi **6** 10. La « mesure » est l'*épha* (environ 40 litres).

c) Cf. Ex **17** 8 s.

d) Le code se termine comme il a commencé : par des prescriptions sur la centralisation du culte et du rituel agraire.

e) De même que les premiers-nés de l'homme et des animaux appartiennent à Dieu (Ex **13** 11), les prémices des produits du sol lui sont consacrés (Ex **22** 28 ; **23** 19 ; **34** 26 ; Lv **2** 12, 14 ; **23** 10-17 ; Dt **18** 4). D'après Nb **18** 12, ils reviennent aux prêtres, cf. Ez **44** 30. — Les vv. 1 à 11 ont été retenus par la liturgie des Quatre-Temps de Septembre, quand la saison des récoltes touche à sa fin.

lorsque tu le posséderas et l'habiteras, ² tu prélèveras les prémices de tous les produits du sol que tu auras fait pousser au pays que Yahvé ton Dieu te donne. Tu les mettras dans une hotte, et tu te rendras au lieu choisi par Yahvé ton Dieu pour y faire habiter son nom. ³ Tu iras trouver le prêtre alors en charge, et tu lui diras :

« Je déclare aujourd'hui à Yahvé mon Dieu que je suis arrivé au pays que Yahvé avait juré à nos pères de nous donner. »

⁴ Le prêtre prendra de ta main la hotte et la déposera devant l'autel de Yahvé ton Dieu. ⁵ Tu prononceras ces paroles devant Yahvé ton Dieu :

« Mon père était un Araméen errant*a* qui descendit en Égypte, et c'est en petit nombre qu'il vint s'y réfugier, avant d'y devenir une nation grande, puissante et nombreuse*b*. ⁶ Les Égyptiens nous maltraitèrent, nous brimèrent et nous imposèrent une dure servitude. ⁷ Nous avons fait appel à Yahvé le Dieu de nos pères. Yahvé entendit notre voix, il vit notre misère, notre peine et notre état d'oppression, ⁸ et Yahvé nous fit sortir d'Égypte à main forte et bras étendu, par une grande terreur, des signes et des prodiges. ⁹ Il nous a conduits ici et nous a donné ce pays, pays où ruissellent le lait et le miel. ¹⁰ Voici que j'apporte maintenant les prémices des produits de la terre que tu m'as donnée, Yahvé. »

Tu les déposeras*c* devant Yahvé ton Dieu et tu te prosterneras devant Yahvé ton Dieu. ¹¹ Puis tu te réjouiras

---

a) G lit : « Mon père abandonna Aram ».

b) C'est avec Abraham que les ancêtres d'Israël ont commencé à vivre hors de la masse araméenne. Le clan de Jacob arrivant en Égypte ne comprenait encore que très peu de membres. Cf. **10** 22; Ps **105** 12.

c) Primitivement donc, ce n'était pas le prêtre lévite qui déposait la corbeille. Mais le Deutéronome a voulu mettre ce rite sous le contrôle des lévites dépositaires de la tradition de Moïse.

de toutes les bonnes choses dont Yahvé t'a gratifié, toi et ta maison, — toi ainsi que le lévite et l'étranger qui est chez toi.

La dîme triennale[a]. [12] La troisième année, année de la dîme[b], lorsque tu auras achevé de compter la dîme de tous tes revenus et que tu l'auras donnée au lévite, à l'étranger, à la veuve et à l'orphelin, et que, l'ayant consommée dans tes villes, ils s'en seront rassasiés, [13] tu diras en présence de Yahvé ton Dieu[c] :

« J'ai fait disparaître de ma maison ce qui était sacré. Oui, je l'ai donné au lévite, à l'étranger, à l'orphelin et à la veuve, selon tous les commandements que tu m'as faits, sans outrepasser tes commandements ni les oublier. [14] Je n'ai rien mangé qui ait été pain de Lamentation, je n'ai rien consommé qui ait été impur, je n'ai rien offert au Mort[d]. J'ai obéi à la voix de Yahvé mon Dieu et j'ai agi selon tout ce que tu m'avais commandé. [15] De la demeure de ta sainteté, des cieux, regarde et bénis Israël ton peuple, ainsi que la terre que tu nous as donnée comme tu l'avais juré à nos pères, pays où ruissellent le lait et le miel. »

---

a) Les vv. 12 à 19 ont été retenus par la liturgie des Quatre-Temps de Carême (Samedi) qui insistent sur les promesses divines.

b) Sur cette dîme triennale, abandonnée aux miséreux par Yahvé, cf. **14** 28 s.

c) L'Israélite vient au sanctuaire sans les offrandes habituelles puisqu'elles ont été données, mais il va déclarer qu'il n'en a point fait usage idolâtre. Cette importante profession de foi perpétue le souvenir de l'élection divine, de la délivrance d'Égypte et du don de la Terre Promise.

d) Verset difficile où l'on voit d'habitude une prohibition du culte des morts. Mais il semble que ce « pain de lamentation » (cf. Os **9** 4) était consommé en l'honneur du Baal maître de la végétation (Aleyn Baal, Adonis ou Tammuz), appelé ici « le Mort » parce qu'il était censé mourir pendant les chaleurs desséchantes de l'été. Dans tout l'ancien Orient, et même à l'époque romaine, on faisait des lamentations en l'honneur du dieu de la moisson (en juillet pour Adonis). Il réapparaissait avec les pluies.

III

DISCOURS DE CONCLUSION

FIN DU SECOND DISCOURS

**Israël,
peuple de Yahvé.**

[16] Yahvé ton Dieu te commande aujourd'hui de pratiquer ces lois et coutumes; tu les garderas et tu les pratiqueras de tout ton cœur et de toute ton âme. [17] Tu as obtenu de Yahvé aujourd'hui cette déclaration[a], qu'il serait ton Dieu — mais à la condition que tu marches dans ses voies, que tu gardes ses lois, ses commandements et ses coutumes et que tu écoutes sa voix. [18] Et Yahvé a obtenu de toi aujourd'hui cette déclaration, que tu serais son peuple propre, comme il te l'a dit — mais à la condition de garder tous ses commandements; [19] il t'élèverait alors au-dessus de toutes les nations qu'il a faites, en honneur, en renom et en gloire, et tu serais un peuple consacré à Yahvé, ainsi qu'il te l'a dit.

L'inscription de la Loi.

27. [1] Moïse et les anciens d'Israël donnèrent cet ordre au peuple : « Gardez tous les commandements que je vous prescris aujourd'hui[b]. [2] Lorsque vous passerez le Jourdain pour vous rendre au

---

a) L'alliance apparaît ici comme un contrat bilatéral et solennel dont le code deutéronomique constitue la teneur.

b) Ce v. rompt le développement du discours (qui reprend au v. 2). Il a sans doute été rédigé lorsque l'on a inséré à cette place un récit plus ancien (vv. 4-8 et 11-26). Moïse reprendra encore la parole au v. 9.

pays que Yahvé ton Dieu te donne, tu dresseras de grandes pierres, tu les enduiras de chaux[a] 3 et tu y écriras toutes les paroles de cette Loi, au moment[b] où tu passeras pour entrer au pays que Yahvé ton Dieu te donne, pays où ruissellent le lait et le miel, comme te l'a dit Yahvé le Dieu de tes pères.

4[c] Et lorsque vous aurez passé le Jourdain, vous dresserez ces pierres sur le mont Ébal[d], comme je vous le commande aujourd'hui, et vous les enduirez de chaux. 5 Tu y édifieras pour Yahvé ton Dieu un autel, avec des pierres que le fer n'aura pas travaillées. 6 C'est de pierres brutes[e] que tu édifieras l'autel de Yahvé ton Dieu, et c'est sur cet autel que tu offriras des holocaustes pour Yahvé ton Dieu, 7 que tu immoleras des sacrifices de communion, que tu mangeras sur place, et tu te réjouiras en présence de Yahvé ton Dieu. 8 Tu écriras sur ces pierres toutes les paroles de cette Loi : grave-les bien. »

9 Puis Moïse et les prêtres lévites dirent à tout Israël[f] :

« Fais silence et écoute, Israël. Aujourd'hui tu es devenu un peuple[g] pour Yahvé ton Dieu. 10 Tu écouteras la voix de Yahvé ton Dieu, et tu mettras en pratique les com-

---

a) On en a d'autres exemples dans l'Antiquité (ainsi en Chypre).

b) L'auteur du discours évite de nommer l'endroit. L'Ébal est assez loin du Jourdain et l'auteur (cf. **12**) considère comme seul légitime l'unique sanctuaire de Jérusalem.

c) Ici commence probablement le document ancien (le v. 4 fait en partie double emploi avec le v. 2).

d) Sam porte « sur le mont Garizim ». Beaucoup d'auteurs croient qu'il faut ici donner raison au Pentateuque samaritain, cf. Jos **8** 30. Cependant les malédictions des vv. 11 s conviennent à l'Ébal.

e) Encore le souci de respecter la nature telle que Dieu l'a faite (cf. **21** 1-9 et les notes). Cf. aussi Ex **20** 23 qui peut appartenir au même document ancien. Ce v. au contraire s'accorde mal avec les prescriptions du ch. **12**.

f) On retrouve dans ces vv. 9 et 10 le style et les idées du Deutéronome. Cf. **26** 17 s.

g) Sam porte : « un peuple saint ».

mandements et les lois que je te prescris aujourd'hui. »

[11][a] Et Moïse, en ce jour, donna alors cet ordre au peuple : [12] Lorsque vous aurez passé le Jourdain, les tribus que voici se tiendront sur le mont Garizim pour bénir le peuple : Siméon et Lévi, Juda et Issachar, Joseph et Benjamin. [13] Et les tribus que voici se tiendront sur le mont Ébal pour la malédiction : Ruben, Gad et Asher, Zabulon, Dan et Nephtali[b]. [14] Les lévites prendront la parole et diront à voix haute à tous les Israélites :

[15] Maudit soit l'homme qui fait une idole sculptée ou fondue, abomination à Yahvé, œuvre de mains d'artisan, et la place en un lieu caché[c]. — Et tout le peuple répondra et dira : Amen.

[16] Maudit soit celui qui traite indignement son père et sa mère. — Et tout le peuple dira : Amen.

[17] Maudit soit celui qui déplace la borne de son prochain. — Et tout le peuple dira : Amen.

[18] Maudit soit celui qui égare un aveugle en chemin. — Et tout le peuple dira : Amen.

[19] Maudit soit celui qui méconnaît le droit de l'étranger, de l'orphelin et de la veuve. — Et tout le peuple dira : Amen.

[20] Maudit soit celui qui couche avec la femme de son père, car il retire d'elle le pan du manteau de son père[d]. — Et tout le peuple dira : Amen.

---

a) Le document ancien reprend ici jusqu'au v. 25 ou 26.

b) Ce sont les tribus les moins importantes : celle du fils dégradé (Gn **49** 4), celle du dernier fils de Léa et les quatre tribus issues des servantes de Jacob.

c) Les malédictions visent les fautes secrètes que seule la justice divine omnisciente peut atteindre. Ce genre littéraire se développera (Is **5** 8-23) et passera dans le N. T. (Mt **23** 13-36; Lc **6** 20-26).

d) Sur l'expression, cf. **23** 1 et la note. Alors que la liste paraît dépourvue d'ordre logique, quelques interdits sexuels sont ici groupés. Ils sont plus développés en Lv **18** (9, 17, 23).

²¹ Maudit soit celui qui couche avec quelque bête que ce soit. — Et tout le peuple dira : Amen.

²² Maudit soit celui qui couche avec sa sœur, fille de son père ou fille de sa mère. — Et tout le peuple dira : Amen.

²³ Maudit soit celui qui couche avec sa belle-mère. — Et tout le peuple dira : Amen.

²⁴ Maudit soit celui qui frappe en secret son prochain. — Et tout le peuple dira : Amen.

²⁵ Maudit soit celui qui accepte un présent pour frapper mortellement une vie innocente. — Et tout le peuple dira : Amen.

²⁶ Maudit soit celui qui ne maintient pas en vigueur les paroles de cette Loi pour les mettre en pratique[a]. — Et tout le peuple dira : Amen.

Les bénédictions promises[b].

28. ¹ Or donc, si tu obéis vraiment à la voix de Yahvé ton Dieu, en gardant et pratiquant tous ces commandements que je te prescris aujourd'hui, Yahvé ton Dieu t'élèvera au-dessus de toutes les nations de la terre. ² Toutes les bénédictions que voici t'adviendront et t'atteindront[c]; car tu auras obéi à la voix de Yahvé ton Dieu.

³ Tu seras béni à la ville et tu seras béni à la campagne[d].

---

a) Cette malédiction générale paraît ajoutée à la liste par le compilateur, soit du document ancien, soit du Deutéronome. Le document ancien devait faire suivre ces malédictions des bénédictions du ch. **33**. De telles malédictions et bénédictions suivant une proclamation se retrouvent dans des inscriptions contemporaines de l'ancien Orient.

b) Les bénédictions et malédictions qui suivent sont proprement deutéronomiques.

c) Les bénédictions sont en quelque sorte personnifiées. Ce thème remonte aux Patriarches (Gn **12** 3; **22** 17; **27** 29; **49** 25-26).

d) Cf. **11** 10-15. La prospérité agricole est aussi un thème prophétique (cf. Am **9** 13; Is **4** 2, etc.).

⁴ Bénis seront le fruit de tes entrailles, le produit de ton sol, le fruit de ton bétail, la portée de tes vaches et le croît de tes brebis. ⁵ Bénies seront ta hotte et ta huche. ⁶ Bénies seront tes entrées et bénies seront tes sorties. ⁷ Des ennemis qui se dresseraient contre toi, Yahvé fera tes vaincus : sortis par un chemin à ta rencontre, par sept chemins ils fuiront devant toi[a]. ⁸ Yahvé commandera à la bénédiction d'être avec toi, en tes greniers comme en tes travaux, et il te bénira dans le pays que Yahvé ton Dieu te donne.

⁹ Yahvé fera de toi le peuple qui lui est consacré, ainsi qu'il te l'a juré, si tu gardes les commandements de Yahvé ton Dieu et si tu marches dans ses voies. ¹⁰ Tous les peuples de la terre verront que tu portes le nom de Yahvé[b] et ils te craindront. ¹¹ Yahvé te fera surabonder de biens : fruit de tes entrailles, fruit de ton bétail et fruit de ton sol, sur cette terre qu'il a juré à tes pères de te donner. ¹² Yahvé ouvrira pour toi les cieux, son trésor excellent[c], pour te donner en son temps la pluie qui tombera sur ton pays, et pour bénir toute œuvre de tes mains. Tu annexeras des nations nombreuses, et toi, tu ne seras pas annexé. ¹³ Yahvé te mettra à la tête et non à la queue, tu ne seras jamais qu'au dessus et non point au dessous, si tu écoutes les commandements de Yahvé ton Dieu, que je te prescris aujourd'hui, pour les garder et les mettre en pratique, ¹⁴ sans dévier à droite ni à gauche d'aucune de ces paroles que je vous prescris aujourd'hui, en allant suivre d'autres dieux et les servir.

---

a) Yahvé est aussi un Dieu guerrier. Un ancien livre hébreu, maintenant perdu, s'appelait « le livre des guerres de Yahvé » (Nb 21 14).

b) Litt. « le nom de Yahvé sera appelé sur toi », expression signifiant qu'un être entre sous la mouvance d'un autre être supérieur (ici Yahvé) et participe à sa puissance (2 S 12 28; Is 4 1; etc.).

c) Sur cette image, cf. Gn 7 11; Jr 10 13.

Les malédictions *a*.
¹⁵ Mais si tu n'obéis pas à la voix de Yahvé ton Dieu, ne gardant pas ses commandements et ses lois que je te prescris aujourd'hui, toutes les malédictions que voici t'adviendront et t'atteindront.

¹⁶ Tu seras maudit à la ville et tu seras maudit à la campagne. ¹⁷ Maudites seront ta hotte et ta huche. ¹⁸ Maudits seront le fruit de tes entrailles et le fruit de ton sol, la portée de tes vaches et le croît de tes brebis. ¹⁹ Maudites seront tes entrées et maudites tes sorties.

²⁰ Yahvé enverra contre toi la malédiction, le maléfice et l'imprécation en échange de toutes tes offrandes *b*, en sorte que tu sois détruit et que tu périsses rapidement, pour la perversité de tes actions, pour m'avoir abandonné. ²¹ Yahvé attachera à toi la peste, jusqu'à ce qu'elle t'ait consumé sur cette terre où tu vas entrer pour en prendre possession. ²² Yahvé te frappera de consomption, de fièvre, d'inflammation, de fièvre chaude, de sécheresse, de rouille et de nielle *c*, qui te poursuivront jusqu'à ta perte. ²³ Les cieux au-dessus de toi seront d'airain et la terre sous toi sera de fer. ²⁴ La pluie qui tombe en ton pays, Yahvé en fera de la poussière et du sable; il en tombera du ciel sur toi jusqu'à ta destruction. ²⁵ Yahvé fera de toi un vaincu en face de tes ennemis : sorti à leur rencontre par un chemin, par sept chemins tu fuiras devant eux, et tu deviendras un objet d'horreur pour tous les royaumes de la terre *d*. ²⁶ Ton cadavre sera la pâture de tous les

---

a) Ce paragraphe est une réplique au précédent, parfois phrase à phrase, mais avec beaucoup d'additions et de développements. Comparer avec Lv **26** 14-39.

b) Au lieu de bénir l'homme pour les offrandes reçues, Yahvé ne lui enverra que des maux dans son corps et dans son âme.

c) Maladies de l'homme, des bêtes et des plantes sont mêlées : c'est la vie qui est atteinte.

d) Cf. Jr **15** 4; **24** 9, etc.

oiseaux du ciel et de toutes les bêtes de la terre, sans que personne leur fasse peur.

[27] Yahvé te frappera de furoncles d'Égypte, de bubons, de croûtes, de plaques rouges[a] dont tu ne pourras guérir. [28] Yahvé te frappera de délire, d'aveuglement et d'égarement des sens, [29] au point que tu iras à tâtons en plein midi comme l'aveugle va à tâtons dans les ténèbres, et tes démarches n'aboutiront pas.

Tu ne seras jamais qu'exploité et spolié, sans que personne prenne ta défense. [30] Tu prendras une femme comme fiancée, mais un autre homme la possédera; tu bâtiras une maison, mais tu ne pourras l'habiter; tu planteras une vigne, mais tu n'en pourras cueillir les premiers fruits[b]. [31] Ton bœuf sera égorgé sous tes yeux, et tu n'en pourras manger; ton âne te sera enlevé en ta présence, et il ne te reviendra pas; tes brebis seront livrées à tes ennemis, et personne ne prendra ta défense. [32] Tes fils et tes filles seront livrés à un autre peuple; chaque jour tes yeux se consumeront à regarder vers eux, et tes mains n'y pourront rien. [33] Le fruit de ta terre et le fruit de ta peine, un peuple que tu ne connais pas les mangera. Tu ne seras jamais qu'exploité et écrasé. [34] Ce que verront tes yeux te rendra fou. [35] Yahvé te frappera de mauvais furoncles aux genoux et aux jambes et tu n'en pourras guérir, de la plante des pieds au sommet de la tête.

[36] Toi et le roi que tu auras mis à ta tête, Yahvé vous mènera en une nation que tes pères ni toi n'avez connue, et vous y servirez d'autres dieux, de bois et de pierre[c].

---

a) Le sens de plusieurs de ces vocables est douteux.
b) Cf. **20** 5-7.
c) Thème de l'exil : cf. 2 R **17** 4-6; **25** 7, 11, et chez les Prophètes: Am **5** 27; **6** 7; Os **9** 3; **10** 6, etc.

[37] Tu seras l'étonnement, la fable et la risée de tous les peuples où Yahvé te conduira.

[38] Tu jetteras aux champs beaucoup de semence pour récolter peu, car la sauterelle la pillera. [39] Tu planteras et travailleras ta vigne pour ne pas boire de vin ni rien recueillir, car le ver la dévorera. [40] Tu auras des oliviers sur tout ton territoire, pour ne pas t'oindre d'huile, car tes oliviers seront abattus. [41] Tu engendreras des fils et des filles mais ils ne t'appartiendront pas, car ils iront en captivité. [42] De tous tes arbres et de tous les fruits de ton sol l'insecte fera sa proie.

[43] L'étranger qui est chez toi s'élèvera à tes dépens de plus en plus haut, et toi tu descendras de plus en plus bas. [44] C'est lui qui fera de toi sa chose, et non toi de lui; c'est lui qui sera à la tête, et toi à la queue.

[45] Toutes ces malédictions t'adviendront, te poursuivront et t'atteindront jusqu'à te détruire, quand tu n'auras pas obéi à la voix de Yahvé ton Dieu en gardant ses commandements et ses lois qu'il t'a prescrits. [46] Elles seront un signe et un prodige sur toi et sur ta postérité à jamais[a].

Perspectives de guerres et d'exil.

[47] Puisque tu n'auras pas servi Yahvé ton Dieu dans la joie et le bonheur[b] que donne l'abondance de toutes choses, [48] tu serviras les ennemis que Yahvé enverra contre toi, dans la faim, la soif, la nudité, la privation totale. Il imposera à ta nuque un joug de fer, jusqu'à ce qu'il t'ait détruit.

[49] Yahvé suscitera contre toi une nation lointaine, des extrémités de la terre; comme l'aigle qui prend son essor.

---

a) Ces deux vv. sont une première conclusion. Le paragraphe suivant est beaucoup plus précis sur l'invasion et l'exil.

b) Litt. « la joie du cœur ».

Ce sera une nation dont la langue te sera inconnue, ⁵⁰ une nation au visage dur, sans égard pour la vieillesse et sans pitié pour la jeunesse *ᵃ*. ⁵¹ Elle mangera les fruits de ton bétail et les fruits de ton sol, jusqu'à te détruire, sans te laisser ni froment, ni vin, ni huile, ni portée de vache ou croît de brebis, jusqu'à ce qu'elle t'ait fait périr. ⁵² Elle t'assiégera dans toutes tes villes, jusqu'à ce que soient tombées tes murailles les plus hautes et les mieux forti-fiées, toutes celles où tu chercheras la sécurité en tes fron-tières. Elle t'assiégera dans toutes les villes que t'aura données Yahvé. ⁵³ Tu mangeras le fruit de tes entrailles, la chair de tes fils et de tes filles que t'aura donnés Yahvé ton Dieu, pendant ce siège et dans cette détresse où ton ennemi te réduira *ᵇ*. ⁵⁴ Le plus délicat et le plus amolli d'entre les tiens jettera des regards malveillants sur son frère, et même sur la femme qu'il étreint et ceux de ses enfants qui lui resteront, ⁵⁵ ne voulant partager avec aucun d'eux la chair de ses fils qu'il mange : car il ne lui restera rien, à cause du siège et de la détresse où ton ennemi te réduira dans toutes tes villes. ⁵⁶ La plus délicate et la plus amollie des femmes de ton peuple, si délicate et amollie qu'elle n'aurait pas essayé de poser à terre la plante de son pied, celle-là jettera des regards malveillants sur l'homme qu'elle étreint, et même sur son fils ou sa fille, ⁵⁷ et elle se cachera d'eux pour manger l'arrière-faix sorti de ses flancs et l'enfant qu'elle met au monde, dans la privation de tout, à cause du siège et de la détresse où ton ennemi te réduira dans toutes tes villes *ᶜ*.

---

a) Pour les images de ces deux vv., cf. Is **5** 26; **33** 19; Jr **5** 15.

b) Cette image très forte se retrouve ailleurs dans la Bible : Jr **19** 9; Lv **26** 29; Ez **5** 10; Lm **2** 20; **4** 10.

c) Ces choses affreuses sont permises par Dieu à titre de signes (v. 46) qui permettront à l'homme de comprendre et de se sauver (cf. Os **2** surtout vv. 8 et 9).

[58] Si tu ne gardes pas pour les mettre en pratique toutes les paroles de cette Loi écrites en ce livre, dans la crainte de ce nom glorieux et redoutable : Yahvé ton Dieu, [59] Yahvé te frappera de ces fléaux étonnants, toi et ta descendance : fléaux grands et persistants, maladies pernicieuses et tenaces. [60] Il fera revenir chez toi ces plaies d'Égypte qui furent ta terreur, et elles s'attacheront à toi. [61] Bien plus, tous les fléaux et maladies que ne mentionne pas le livre de cette Loi, Yahvé les suscitera contre toi, jusqu'à te détruire. [62] Vous ne resterez que peu d'hommes, vous qui étiez aussi nombreux que les étoiles du ciel.

Parce que tu n'auras pas obéi à la voix de Yahvé ton Dieu, [63] autant Yahvé avait pris plaisir à vous rendre heureux et à vous multiplier, autant il prendra plaisir à vous perdre et à vous détruire. Vous serez arrachés à la terre où tu vas entrer pour en prendre possession. [64] Yahvé te dispersera parmi tous les peuples, d'un bout du monde à l'autre; là tu serviras d'autres dieux que tes pères ni toi n'avez connus, du bois et de la pierre. [65] Parmi ces nations, tu n'auras pas de tranquillité et il n'y aura pas de repos pour la plante de tes pieds, mais Yahvé t'y donnera un cœur tremblant, des yeux éteints, un souffle court. [66] D'avance la vie te sera une fatigue, tu craindras jour et nuit, sans pouvoir croire en ta vie. [67] Le matin tu diras : « Qui me donnerait d'être au soir ? » et le soir tu diras : « Qui me donnerait d'être au matin ? » à cause de l'effroi qui étreindra ton cœur et du spectacle que verront tes yeux ! [68] Yahvé te renverra en Égypte par terre et par mer alors que je t'avais dit : « Tu ne la verras plus ! » Et là vous irez vous vendre à tes ennemis comme serviteurs et servantes, sans trouver d'acheteur[a].

---

a) En évoquant les plaies d'Égypte et le retour en servitude, l'auteur achève de rendre ces menaces pour l'avenir symétrique des grâces passées

9. [1]
Conclusion.

[69] Telles sont les paroles de l'alliance que Yahvé prescrivit à Moïse de conclure avec les enfants d'Israël au pays de Moab, outre l'alliance qu'il avait conclue avec eux à l'Horeb[a].

TROISIÈME ET DERNIER DISCOURS

[2]
Rappel de l'Exode et de l'Alliance.

29. [1] Moïse convoqua tout Israël et leur dit :

Vous avez vu tout ce que Yahvé a fait sous vos yeux au pays d'Égypte, tant à Pharaon et à ses serviteurs qu'à
[3] tout son pays : [2] les grandes épreuves que tu as vues toi-
[4] même, ces signes et ces prodiges grandioses. [3] Mais, jusqu'aujourd'hui, Yahvé ne vous avait pas donné un cœur pour connaître, des yeux pour voir, des oreilles pour entendre[b].

[5]   [4] Je vous ai fait aller quarante ans dans le désert, sans que soient usés vos vêtements sur vous, ni vos sandales à
[6] vos pieds. [5] Vous n'avez pas eu de pain à manger, ni de vin ou de boisson fermentée à boire, afin que vous sachiez
[7] d'expérience que moi, Yahvé, je suis votre Dieu. [6] Puis vous êtes venus en ce lieu. Sihôn, roi d'Heshbôn, et Og,

que rappelaient les discours d'introduction. Yahvé perdra comme il avait sauvé, par la même puissance surnaturelle.

a) Conclusion générale à tout le second discours (qui commençait au ch. **5** et incluait le code deutéronomique); ainsi la loi donnée en Moab est-elle rattachée au Décalogue donné à l'Horeb. — G et Vulg commencent à ce v. le ch. **29**, où leur numérotation des vv. est donc en avance d'une unité.

b) Thème de ce troisième discours. Pour comprendre les voies divines il faut une « grâce » divine qui ouvre le « cœur » (cf. **30** 11-14, et dans le premier discours **4** 29 s). Doctrine semblable en Is **29** 10.

roi du Bashân, sont sortis à notre rencontre pour nous
8 combattre, mais nous les avons battus. ⁷ Nous avons
conquis leur pays, et nous l'avons donné en héritage à
Ruben, à Gad et à la moitié de tribu de Manassé.

9   ⁸ Gardez les paroles de cette alliance et mettez-les en
pratique, afin de réussir*ª* dans toutes vos entreprises.
10 ⁹ Vous voici tous aujourd'hui debout devant Yahvé votre
Dieu : vos chefs de tribus, vos anciens, vos scribes, tous
11 les hommes d'Israël, ¹⁰ avec vos enfants et vos femmes
(et aussi l'étranger qui est dans ton camp, de celui qui
12 coupe ton bois à celui qui puise ton eau *ᵇ*), ¹¹ et vous allez
passer dans l'alliance de Yahvé ton Dieu, jurée avec
imprécation, alliance qu'il a conclue aujourd'hui avec toi
13 ¹² pour faire aujourd'hui de toi un peuple tandis que lui-
même sera pour toi un Dieu, comme il te l'a dit et comme
il l'a juré à tes pères Abraham, Isaac et Jacob.

14   ¹³ Ce n'est pas avec vous
            L'alliance concerne   seulement que je conclus
          les autres générations.   aujourd'hui cette alliance et
                                           que je profère cette impréca-
15 tion, ¹⁴ mais aussi bien avec celui qui se tient ici avec nous
en présence de Yahvé notre Dieu, qu'avec celui qui n'est
pas ici aujourd'hui.

16   ¹⁵ Oui, vous savez avec qui nous demeurions en Égypte,
au milieu de qui nous avons passé, ces nations que vous
17 avez traversées. ¹⁶ Vous avez vu leurs horreurs et leurs
idoles, le bois, la pierre, l'or et l'argent qui sont chez elles.
18   ¹⁷ Qu'il n'y ait pas parmi vous homme ni femme, clan
ni tribu dont le cœur se détourne aujourd'hui de Yahvé

---

a) Toujours cette préoccupation de la réussite de la vie, de la sagesse.
Cf. **4** 6.

b) Catégories sociales inférieures, souvent d'origine non israélite (Jos
9 27).

notre Dieu en allant servir les dieux de ces nations ! Qu'il
n'y ait pas parmi vous de racine d'où lèvent le pavot et
19 l'absinthe[a] ! [18] Si, après avoir entendu cette imprécation,
il se bénit lui-même en son cœur en disant : « A marcher
selon l'assurance de mon propre sens, je ne manquerai
de rien, si bien que l'abondance d'eau fera disparaître la
20 soif[b] », [19] Yahvé ne consentira pas à lui pardonner. Car
la colère et la jalousie de Yahvé s'enflammeront contre
cet homme, toute l'imprécation inscrite dans ce livre fon-
dra sur lui, et Yahvé effacera son nom de dessous les cieux.
21 [20] Yahvé le mettra à part de toutes les tribus d'Israël[c],
pour son malheur, selon toutes les imprécations de cette
alliance écrite au livre de cette Loi.

22 [21] La génération future, celle de vos fils qui se lèveront
après vous, et aussi l'étranger venu d'un pays lointain[d],
verront les fléaux qui frapperont ce pays et les maladies
23 que Yahvé y fera sévir, et s'écrieront : [22] « Soufre, sel,
terre brûlée, telle est sa terre entière; on n'y sèmera plus
et rien n'y germera plus, aucune herbe n'y croîtra plus.
Ainsi ont été changées Sodome et Gomorrhe, Adma et
Çeboyim[e] que Yahvé dévasta dans sa colère et sa fureur ! »
24 [23] Et toutes les nations s'écrieront : « Pourquoi Yahvé

---

a) Mauvaises herbes au mauvais goût. L'image est déjà dans Amos
(6 12) et Osée (10 4).

b) Autre traduction : « en sorte qu'on enlève le terrain irrigué avec le
terrain sec ». Ce serait une sorte de proverbe signifiant une totale destruction. Mais la suite des idées et la grammaire ne permettent guère cette
traduction. L'auteur polémique contre l'impie qui attend la prospérité de
son endurcissement dans son propre sens. — G traduit : « en sorte que le
pécheur ne soit pas détruit avec celui qui est sans péché ».

c) Cette séparation d'avec le peuple élu est la plus terrible des menaces.

d) Cf. Amos (3 9) et Jérémie (2 10). Les nations ne changeaient pas de
dieu, Israël semble avoir eu le privilège de l'infidélité, d'où l'étonnement
réprobateur des étrangers.

e) Adma et Çeboyim jouent dans les traditions du Nord (Os 11 8) le
rôle de Sodome et Gomorrhe dans les traditions du Sud (Am 4 11; Is 1 9;
cf. 18 et 19).

²⁵ a-t-il ainsi traité ce pays ? Pourquoi l'ardeur de cette grande colère ? » ²⁴ Et l'on dira : « Parce qu'ils ont aban-donné l'alliance de Yahvé, Dieu de leurs pères, qu'il avait conclue avec eux en les faisant sortir du pays d'Égypte ;
²⁶ ²⁵ parce qu'ils sont allés servir d'autres dieux et les ont adorés, dieux qu'ils n'avaient pas connus ni reçus de lui
²⁷ en partage, ²⁶ la colère de Yahvé s'est enflammée contre ce pays, faisant venir sur lui toute la malédiction inscrite
²⁸ dans ce livre. ²⁷ Yahvé les a arrachés de leur terre avec colère, fureur et grande indignation, et les a jetés en un autre pays, comme aujourd'hui. »
²⁹

Retour d'exil et conversion.

²⁸ Les choses cachées sont à Yahvé notre Dieu, mais les choses révélées sont à nous *a* et à nos fils pour tou-jours, afin que nous mettions en pratique toutes les paroles de cette Loi. **30.** ¹ Lorsque toutes ces paroles se seront réalisées pour toi, cette bénédiction et cette malédiction que je t'ai proposées, si tu les médites en ton cœur, parmi toutes les nations où Yahvé ton Dieu t'aura fait errer, ² si tu reviens à Yahvé ton Dieu, si tu écoutes sa voix en tout ce que je te commande aujourd'hui, de tout ton cœur et de toute ton âme, toi et tes fils, ³ Yahvé ton Dieu ramè-nera tes captifs *b*, il aura pitié de toi, il te rassemblera à nouveau du milieu de tous les peuples où Yahvé ton Dieu t'a dispersé. ⁴ Serais-tu égaré à l'extrémité des cieux, de là même Yahvé ton Dieu te rassemblerait et il viendrait t'y prendre, ⁵ pour te ramener au pays que tes pères ont

a) Encore une formule de sagesse, sans doute en usage chez les scribes de la cour (Pr **25** 2). Dieu a les secrets de tout, mais il les a révélés à son peuple : c'est la Loi.

b) Ce paragraphe paraît bien supposer la captivité de·Babylone. Pour les idées et les expressions, cf. **4** 29 s; **29** 3.

possédé, afin que tu le possèdes à ton tour, que tu y sois heureux et que tu y multiplies plus que tes pères.

⁶ Yahvé ton Dieu circoncira ton cœur*[a]* et le cœur de ta postérité en sorte d'aimer Yahvé ton Dieu de tout ton cœur et de toute ton âme, afin que tu vives. ⁷ Yahvé ton Dieu fera retomber toutes ces imprécations sur tes ennemis et sur tes adversaires qui t'ont persécuté. ⁸ Toi, tu obéiras de nouveau à la voix de Yahvé ton Dieu et tu mettras en pratique tous ses commandements que je te prescris aujourd'hui. ⁹ Yahvé ton Dieu te rendra heureux en rendant prospères toutes tes entreprises, le fruit de tes entrailles, le fruit de ton bétail et le fruit de ton sol. Car de nouveau Yahvé prendra plaisir à ton bonheur, comme il avait pris plaisir au bonheur de tes pères, ¹⁰ si tu obéis à la voix de Yahvé ton Dieu en gardant ses commandements et ses prescriptions, inscrits dans le livre de cette Loi, si tu reviens à Yahvé ton Dieu de tout ton cœur et de toute ton âme.

¹¹ Car cette Loi que je te prescris aujourd'hui n'est pas au delà de tes moyens ni hors de ton atteinte*[b]*. ¹² Elle n'est pas dans les cieux, qu'il te faille dire : « Qui montera pour nous aux cieux nous la chercher, que nous l'enten-

---

a) Cf. **10** 16. Jérémie affirme également que la circoncision véritable est celle de l'âme et non celle du corps. Pour écouter avec profit la voix de Dieu il faut avoir l'entendement circoncis (litt. « les oreilles », Jr **6** 10) et c'est le cœur qu'il faut circoncire pour éviter la colère divine (Jr **4** 4). Aussi saint Paul dira-t-il que la vraie circoncision, c'est celle du cœur, dans l'esprit et non dans la lettre (Rm **2** 29) et que « la circoncision (charnelle) n'est rien... Ce qui compte, c'est d'observer les commandements » (1 Co **7** 19).

b) C'est une thèse fréquente dans la littérature sapientielle (cf. Jb **28**) que l'inaccessibilité de la Sagesse, source du bonheur. Mais ce qui est inaccessible à l'homme, Dieu peut le lui donner par révélation. C'est l'idée de ce passage : Dieu s'est révélé en Israël, sa loi révélée est dans la bouche des Israélites qui se la transmettent d'âge en âge (Dt **6** 7; cf. Ps. **119**; Si **24** 22-32), et doit être aussi dans leur cœur, désormais circoncis (c'est-à-dire appartenant à Dieu) : du cœur procèdent les actions.

dions pour la mettre en pratique ? » [13] Elle n'est pas au delà des mers, qu'il te faille dire : « Qui ira pour nous au delà des mers nous la chercher, que nous l'entendions pour la mettre en pratique ? » [14] Car la Parole est tout près de toi[a], elle est dans ta bouche et dans ton cœur pour que tu la mettes en pratique.

Les deux voies.
[15] Vois, je te propose aujourd'hui vie et bonheur, mort et malheur[b]. [16] Si tu écoutes les commandements de Yahvé ton Dieu que je te prescris aujourd'hui, et que tu aimes Yahvé ton Dieu, que tu marches dans ses voies, que tu gardes ses commandements, ses lois et ses coutumes, tu vivras et tu multiplieras, Yahvé ton Dieu te bénira dans le pays où tu entres pour en prendre possession. [17] Mais si ton cœur se dévoie, si tu n'écoutes point et si tu te laisses entraîner à te prosterner devant d'autres dieux et à les servir, [18] je vous déclare aujourd'hui que vous périrez certainement et que vous ne vivrez pas de longs jours sur la terre où vous pénétrez pour en prendre possession en passant le Jourdain. [19] Je prends aujourd'hui à témoin contre vous le ciel et la terre[c] : je te propose la vie ou la mort, la bénédiction ou la malédiction. Choisis donc la vie, pour que toi et ta postérité vous viviez, [20] aimant Yahvé ton Dieu,

---

30 16. « *Si tu écoutes les commandements de Yahvé ton Dieu* » G ; *omis par* H.

---

a) Noter cette personnification de la Parole (comme la bénédiction en **28** 2). C'est probablement là une des sources de la théologie du Verbe telle qu'elle s'exprimera dans le Prologue du Quatrième Évangile, après avoir été mûrie dans les livres de Sagesse (voir en particulier Si **24** 3 et Sg **18** 15). Saint Paul appliquera ce texte à la « parole de la foi » (Rm **10** 6-8).

b) Cette image des deux voies sera reprise par le christianisme primitif (« Doctrine des 12 Apôtres » dite *Didakê*), après avoir été fortement développée dans les écrits de Qumrân.

c) Cf. **4** 26.

écoutant sa voix, vous attachant à lui; car là est ta vie,
ainsi que la longue durée de ton séjour sur la terre que
Yahvé a juré à tes pères, Abraham, Isaac et Jacob, de
leur donner.

IV

LA FIN DE MOÏSE

31 [a]. [1] Moïse vint adres-
La mission de Josué.   ser ces paroles à tout Israël :
[2] « J'ai aujourd'hui cent vingt
ans [b]. Je ne puis plus aller et venir [c], et Yahvé m'a dit :
Tu ne passeras pas ce Jourdain. [3] C'est Yahvé ton Dieu
qui passera devant toi [d], c'est lui qui détruira ces nations
devant toi pour les déposséder. C'est Josué qui passera
devant toi, ainsi que l'a dit Yahvé. [4] Yahvé les traitera
comme il a traité Sihôn et Og, rois amorites, et leur pays :
il les a détruits. [5] Yahvé vous les livrera et vous les traiterez de point en point selon les commandements que je
vous ai donnés. [6] Soyez forts et tenez bon, ne craignez
pas et ne les redoutez pas, car c'est Yahvé ton Dieu qui

---

a) Ce ch. est composite. Il est probable que les vv. 1-3 [a], 14 [a], 15 et 23
appartiennent au document ancien déjà rencontré au ch. **27**, les vv. 9-13
et 24-27 à la première édition du Dt, qui contenait le discours compre-
nant le code, enfin que la rédaction définitive, en réunissant ces deux
textes, a ajouté les vv. 3 [b]-8, 16-22, 28-30. Dans le second ensemble,
c'est la Loi qui témoigne contre Israël coupable; dans le troisième, c'est
le cantique du ch. **32**.

b) Cette longévité était le signe de sainteté. Le chiffre n'est pas à prendre
strictement, pas plus que les 110 ans attribués par les Égyptiens à leurs
sages.

c) Litt. « entrer et sortir ».

d) Les vv. précédents semblent faire suite à **27** 26. Maintenant le discours du ch. **30** se poursuit. Sur l'action de Josué, cf. **3** 21-29.

marche avec toi : il ne te délaissera pas et ne t'abandonnera pas. »

⁷ Puis Moïse appela Josué et il lui dit en présence de tout Israël : « Sois fort et tiens bon : tu entreras avec ce peuple au pays que Yahvé a juré à leurs pères de leur donner, et c'est toi qui les en mettras en possession. ⁸ C'est Yahvé qui marche devant toi, c'est lui qui sera avec toi; il ne te délaissera pas et ne t'abandonnera pas. Ne crains pas, ne tremble pas. »

Lecture rituelle de la Loiᵃ.

⁹ Moïse mit cette Loi par écrit et la donna aux prêtres, fils de Lévi, qui portaient l'arche de l'alliance de Yahvé, ainsi qu'à tous les anciens d'Israël. ¹⁰ Moïse leur donna cet ordre : « Tous les sept ans, temps fixé pour l'année de Remise, lors de la fête des Tentes, ¹¹ au moment où tout Israël se rend, pour voir la face de Yahvé ton Dieu, au lieu qu'il aura choisi, tu prononceras cette Loi aux oreilles de tout Israël. ¹² Assemble le peuple, hommes, femmes, enfants, l'étranger qui réside chez toi, pour qu'ils entendent, qu'ils apprennent à craindre Yahvé votre Dieu et qu'ils gardent pour les mettre en pratique toutes les paroles de cette Loi. ¹³ Leurs fils, qui ne le savent pas encore, entendront, et apprendront à craindre Yahvé votre Dieu, tous les jours que vous vivrez sur la terre dont vous allez prendre possession en passant le Jourdain. »

Instructions de Yahvé.

¹⁴ Yahvé dit à Moïse : « Voici venir les jours de ta mort, appelle Josué ᵇ. Tenez-

---

a) Ce paragraphe (9-13) semble bien faire suite à la première conclusion du ch. **28** (v. 45). Cette lecture solennelle eut lieu en particulier sous Josias (2 R **23** 2).

b) Ceci s'accorde mal avec les vv. 3ᵇ-7. Nous avons ici (vv. 14ᵃ, 15, 23)

vous à la Tente de Réunion, pour que je lui donne mes ordres. » Moïse et Josué vinrent se tenir à la Tente de Réunion[a]. [15] Yahvé se fit voir, à la Tente, dans une colonne de nuée; la colonne de nuée se tenait à l'entrée de la Tente.

[16][b] Yahvé dit à Moïse : « Voici que tu vas te coucher avec tes pères. Ce peuple va se lever pour se prostituer en suivant des dieux de l'étranger, du pays où il va pénétrer. Il m'abandonnera et rompra l'alliance que j'ai conclue avec lui. [17] Ce jour-là même ma colère s'enflammera contre lui, je les abandonnerai et je leur cacherai ma face. Pour les dévorer, une foule de maux et d'adversités l'atteindront, de sorte qu'il dira en ce jour-là : ' Si ces maux m'ont atteint, n'est-ce pas parce que mon Dieu n'est pas au milieu de moi ? ' [18] Et moi, oui, je cacherai ma face en ce jour, à cause de tout le mal qu'il aura fait, en se tournant vers d'autres dieux.

Le cantique témoin. [19] « Écrivez maintenant pour votre usage le cantique que voici; enseigne-le aux enfants d'Israël, mets-le dans leur bouche, afin qu'il me serve de témoin contre les enfants d'Israël. [20] Lui que

le récit du document ancien sur l'appel de Josué : « Yahvé dit à Moïse : ' Voici venir les jours de ta mort, appelle Josué. ' Yahvé se fit voir, à la Tente, dans une colonne de nuée; la colonne de nuée se tenait à l'entrée de la Tente. (Yahvé) donna cet ordre à Josué fils de Nûn : ' Sois fort et tiens bon, car c'est toi qui conduiras les enfants d'Israël au pays que je leur ai promis par serment, et moi, je serai avec toi '. »

a) Ces deux dernières phrases font suite au v. 8. Dans le document ancien la tente paraît bien être celle de Moïse qui a convoqué Josué. Ici c'est la Tente dite de Réunion, le Tabernacle (décrit en Ex **26**) qui était la Demeure du Seigneur. L'expression « Tente de Réunion » est discutée et discutable; peut-être vaudrait-il mieux dire : « Tente oraculaire ».

b) Les deux paragraphes qui viennent font suite aux vv. 8 et 14[b]. Pour les idées cf. **4** 25-28; l'exil est considéré comme inévitable. Dans cette rédaction c'est le cantique du ch. **32** qui est témoin contre Israël et non la Loi (v. 26).

j'amène en cette terre que j'ai promise par serment à ses pères, où ruissellent le lait et le miel, il mangera, il se rassasiera, il s'engraissera*ᵃ*, puis il se tournera vers d'autres dieux, ils les serviront, ils me mépriseront, et il rompra mon alliance. ²¹ Mais lorsque des maux et adversités sans nombre l'auront atteint, ce cantique portera témoignage contre lui; car sa postérité ne l'aura pas oublié. Oui, je sais les desseins qu'il forme aujourd'hui, avant même que je l'aie conduit au pays que j'ai juré. » ²² Et Moïse écrivit en ce jour ce cantique et il l'enseigna aux enfants d'Israël ᵇ.

²³ Il donna cet ordre à Josué fils de Nûn : « Sois fort et tiens bon, car c'est toi qui conduiras les enfants d'Israël au pays que je leur ai promis par serment, et moi, je serai avec toi ᶜ. »

La Loi placée près de l'Arche ᵈ. ²⁴ Lorsqu'il eut achevé d'écrire sur un livre les paroles de cette Loi jusqu'à la fin, ²⁵ Moïse donna cet ordre aux lévites qui portaient l'arche de l'alliance de Yahvé : ²⁶ « Prenez le livre de cette Loi. Placez-le à côté de l'arche de l'alliance de Yahvé votre Dieu. Qu'il y serve de témoin contre toi. ²⁷ Car je connais ton esprit de révolte et ton opiniâtreté. Si aujourd'hui, alors que je suis encore vivant avec vous, vous êtes rebelles à Yahvé, combien plus le serez-vous après ma mort. »

---

a) Cf. **32** 15.
b) Les « prophéties » du Samedi saint ont utilisé ces vv. 22 à 30 pour décrire la ruine de la première alliance.
c) Voir note sur 14ᵇ pour expliquer cette reprise.
d) Ce paragraphe fait suite aux vv. 9-13. C'est la Loi qui sera témoin contre Israël. Elle va être placée à côté du Décalogue (ch. **5**) car elle est revêtue d'une autorité divine. Sur les rapports entre la Loi et le Décalogue, cf. **28** 69 et **5** 24 et 27.

²⁸ « Faites assembler auprès
de moi tous les anciens de
vos tribus et vos scribes,
que je leur fasse entendre
ces paroles, en prenant à
témoin contre eux le ciel et la terre. ²⁹ Car je sais qu'après
ma mort vous ne manquerez pas de prévariquer; vous
vous écarterez de la voie que je vous ai prescrite; le malheur vous adviendra dans l'avenir, pour avoir fait ce qui
est mal aux yeux de Yahvé en l'irritant par les œuvres de
vos mains. »

**Israël réuni
pour écouter
le cantique**[a].

³⁰ Puis, aux oreilles de toute l'assemblée d'Israël, Moïse
prononça jusqu'à la dernière les paroles de ce cantique :

CANTIQUE DE MOÏSE[b]

32. ¹ Cieux, prêtez l'oreille, et je parlerai;
terre, écoute ce que je vais dire !
² Que ma doctrine ruisselle comme la pluie[c],
que ma parole tombe comme la rosée,
comme les ondées sur l'herbe verdoyante,
comme les averses sur le gazon !
³ Car je vais invoquer le nom de Yahvé;
vous, magnifiez notre Dieu[d].

---

a) Suite du v. 22. Le peuple s'assemble pour que Moïse lui enseigne
le cantique annoncé.

b) Le grand cantique de Moïse, repris dans la liturgie romaine aux
samedis de pénitence, exalte la puissance unique du Dieu d'Israël, seul
vrai Dieu. C'est lui qui fait la force de son peuple; après l'avoir puni il
punira ceux qui l'auront fait souffrir; finalement tous les peuples l'accla-
meront. Nombre d'idées et d'images se retrouvent dans la seconde partie
d'Isaïe (**40-55**) et dans le livre d'Ézéchiel.

c) Semblable comparaison en Is **55** 10.

d) L'invocation s'adresse à la nature entière. Mais les vv. suivants
célèbrent plus en Yahvé le Dieu moral que le maître de la nature physique.

⁴ Il est le Rocher ᵃ, son œuvre est parfaite,
    car toutes ses voies sont le Droit.
C'est un Dieu fidèle et sans iniquité,
    il est Rectitude et Justice.

⁵ Ils ont prévariqué, eux qu'il avait engendrés sans
    génération fourbe et tortueuse.   [tare ᵇ,

⁶ Est-ce là ce que vous rendez à Yahvé ?
    Peuple insensé et sans sagesse !
N'est-ce pas lui ton père, qui t'a procréé ᶜ,
    lui qui t'a fait et par qui tu subsistes ?

⁷ Rappelle-toi les jours d'autrefois,
    considère les années, d'âge en âge.
Interroge ton père, qu'il te l'apprenne ;
    tes anciens, qu'ils te le disent ᵈ.

⁸ Quand le Très Haut donna aux nations leur héri-
    quand il répartit les fils d'homme,   [tage ᵉ,
il fixa leurs limites suivant le nombre des fils de
                                  [Dieu ᶠ;

---

32 5. « *Ils ont prévariqué* » šiḥătû *Sam G* ; « *Il l'a perverti* » šiḥ̄ét lô *H*. — « *eux qu'il avait engendrés sans tare* » litt. « *n'étaient pas à lui des fils de souil-lure* » lo' lô benê mûm *Sam G* ; « *leur souillure n'était pas ses fils (?)* » lo' banayw mûmam *H*.

8. « *fils de Dieu* » benê él *G VetLat Sym.* ; « *fils d'Israël* » benê yiśra'él *H*.

---

a) Cf. Ps **18** 32, etc.

b) Né de Yahvé, Israël était de bonne race ; c'est par sa faute qu'il a dégénéré.

c) Ici commence un raccourci d'histoire sainte. Comparer, avec les discours d'introduction, les Ps **78**, **105**, etc.

d) Cf. **4** 32.

e) Ce premier vers, qui brise le rythme, paraît une explication du second.

f) « Fils de Dieu », ou de « dieux », comme Israël est fils de Yahvé. Ce sont les anges (Jb **1** 6), membres de la cour céleste (cf. v. 43 ; Ps **29** 1 ; **82** 1 ; **89** 7), ici les anges gardiens des nations (cf. Dn **10** 13). Les peuples ont leur territoire délimité par la volonté du Très Haut (d'où l'insistance des premiers ch. à donner des précisions sur les territoires de chacun), mais ils ne sont pas fils de Yahvé, ils ont d'autres dieux en partage (**4** 19), vains et impuissants, pas même dieux (**32** 21). Chaque peuple aura eu son territoire, Israël aura la terre entière.

⁹ mais le lot de Yahvé, ce fut son peuple,
   Jacob fut sa part d'héritage.

¹⁰ Au pays de la steppe, il l'adopte*a*,
   dans la solitude éclatante du désert.
   Il l'entoure, il l'élève, il le garde
   comme la prunelle de son œil.
¹¹ Tel un vautour qui veille sur son nid,
   plane au-dessus de ses petits;
   il déploie ses ailes et le prend,
   il le soutient sur son pennage.

¹² Yahvé est seul pour le conduire*b*;
   point de dieu étranger avec lui.
¹³ Il lui fait chevaucher les hauteurs du pays*c*,
   il le nourrit des produits des montagnes,
   il lui fait goûter le miel du rocher*d*
   et l'huile de la pierre dure;
¹⁴ le lait caillé des vaches et le lait des brebis*e*
   avec la graisse des pâturages*f*,
   les béliers, race du Bashân, et les boucs
   avec la graisse des grains*g* du froment,
   et pour boisson le sang de la grappe qui fermente*h*.

---

10. « *il l'adopte* » yiśśa'éhû *conj.*; « *il le trouve* » yimṣa'éhû *H.*

a) Sur le mot hébreu (voir note textuelle), cf. Ps **80** 16; Is **44** 14.

b) Du désert en terre promise.

c) Yahvé lui-même, dieu du ciel, des nuages et de l'orage, était souvent appelé, comme le Baal phénicien, le « chevaucheur » (Is **19** 1; Ps **68** 5).

d) Ici commence une description poétique de la fertilité de la Terre Promise. Cf. **11** et **8** 7 s.

e) C'est le lében des Arabes.

f) La graisse est pour l'Hébreu ce qu'il y a de plus substantiel dans une nourriture. Autre traduction : « graisse des agneaux », mais convenant moins bien au terme parallèle : « graisse des grains de froment ».

g) Litt. « rognons ».

h) Ce vers (comme 15ᵉ et 18) brise le rythme et passe au style direct (litt. : « le sang de la grappe que tu bois fermenté »). C'est probablement une glose.

15 Jacob a mangé, il s'est rassasié,
    Yeshurûn s'est engraissé, et il a regimbé[a].
    (Tu as engraissé, épaissi, élargi.)
  Il a repoussé le Dieu qui l'avait fait
    et déshonoré le Rocher son salut[b].
16 Ils l'ont rendu jaloux avec des étrangers,
    ils l'ont irrité par des abominations.
17 Ils sacrifiaient à des démons qui ne sont pas Dieu,
    à des dieux qu'ils ne connaissaient pas,
  à des nouveaux venus d'hier
    que leurs pères n'avaient pas redoutés[c].
18 (Tu oublies le Rocher qui t'a mis au monde,
    tu ne te souviens plus du Dieu qui t'a engendré !)
19 Yahvé l'a vu, et dans sa colère
    il a rejeté ses fils et ses filles.
20 Il a dit : Je vais leur cacher ma face
    et je verrai ce qu'il adviendra d'eux.
  Car c'est une génération pervertie,
    des fils sans fidélité.
21 Ils m'ont rendu jaloux avec un néant de dieu[d],
    ils m'ont irrité par leurs êtres de rien ;
  eh bien ! moi, je les rendrai jaloux avec un néant de
                       [peuple,
  je les irriterai au moyen d'une nation stupide[e] !

---

15. « *Jacob a mangé, il s'est rassasié* » Sam G ; *omis par* H.

---

a) Comme un taureau, *shôr* en hébreu (auquel fait allusion le nom de Yeshurûn donné à Israël, ici et en **33** 5, et d'étymologie incertaine).

b) Car les autres peuples jugeront impuissants le dieu de ce peuple vaincu. — Sam porte : « le Rocher son salut l'a rendu stupide ».

c) Cf. **31** 16-20.

d) Affirmation monothéiste, comme en Is **45** 6.

e) Yahvé ne choisit pas un autre peuple, mais il donne sa faveur à ce qui n'est pas son peuple et châtie Israël par une nation à laquelle il n'a point révélé sa Loi de sagesse.

²² Oui, un feu a jailli de ma colère,
  il brûlera jusqu'aux profondeurs du shéol;
 il dévorera la terre et ce qu'elle produit,
  il embrasera la base des montagnes.
²³ Je lancerai sur eux les calamités,
  j'épuiserai contre eux mes flèches *ᵃ*.
²⁴ J'aurai pour armes des greniers de famine *ᵇ*;
  fièvre et consomption, pour poison.
 J'enverrai contre eux la dent des fauves
  avec le venin des reptiles.
²⁵ Au dehors l'épée emportera les fils,
  au dedans régnera l'épouvante.
 Périront ensemble jeune homme et jeune fille,
  enfant à la mamelle et vieillard chenu.
²⁶ J'ai dit : Je les réduirais bien en poussière,
  j'abolirais leur souvenir parmi les hommes,
²⁷ si je ne craignais l'arrogance de l'ennemi.
  Que leurs adversaires ne s'y trompent pas *ᶜ* !
 Qu'ils ne disent pas : « Notre puissance l'emporte,
  et Yahvé n'y est pour rien. »
²⁸ Car c'est une nation aux vues courtes *ᵈ*,
  privée de perspicacité.

---

24. « *J'aurai pour armes des greniers de famine, fièvre et consomption pour poison* » mezawê ra'ab laḥmî rèsèp weqèṭèb merorâtî *conj.*; « *affaiblis par la famine et dévorés par la fièvre et une amère maladie* (?) » mezê ra'ab ûleḥumê rèsèp weqèṭèb merîrî *H*.

---

a) Comparer avec le ch. **28** cette description du châtiment.
 b) Sur cette image hardie, cf. Ps. **144** 13 et Pr **7** 27 (« les chambres de la mort »). La traduction proposée de ce passage difficile se fonde sur les consonnes des textes hébreu et samaritain.
 c) Comparer Ex **32** 10 s; Ez **20** 44. Ce n'est pas la fureur de l'ennemi qui a vaincu le peuple de Yahvé. « Ne s'y trompent pas », cf. Pr **26** 24. Pour la syntaxe de la phrase, cf. Dt **29** 17.
 d) Nouvelle allusion aux doctrines de Sagesse. Cf. **29** 8; **4** 6.

²⁹ S'ils étaient sages, certes ils aboutiraient,
    ils sauraient discerner leur avenir.
³⁰ Comment donc un seul homme en met-il mille en
                                  [fuite,
    et comment deux en poursuivent-ils dix mille*a*,
sinon parce que leur Rocher les a vendus
    et que Yahvé les a livrés ?

³¹ Mais leur rocher n'est pas comme notre Rocher;
    ce n'est pas à nos ennemis d'intercéder pour
³² Car leur cep vient de la vigne de Sodome   [nous*b*.
    et des plantations de Gomorrhe :
leurs raisins sont raisins vénéneux,
    leurs grappes sont empoisonnées;
³³ leur vin est un venin de serpent,
    un violent poison de vipère.
³⁴ Mais lui*c*, n'est-il pas avec moi comme un joyau*d*
    scellé dans mes trésors ?
³⁵ A moi la vengeance et la rétribution*e*,
    pour le temps où leur pied trébuchera.
Car il est proche, le jour de leur ruine;
    leur destin*f* se précipite !

---

a) Cf. Is **30** 17.

b) Litt. « Nos ennemis non pas intercesseurs ». Sur ce mot cf. Ex **21** 22. Les dieux des ennemis sont sans valeur, comme les prières que les vainqueurs pourraient leur adresser en faveur des vaincus. Leurs libations vaines, elles ne peuvent qu'irriter le vrai Dieu et causer leur perte.

c) « Lui », Israël que Dieu se garde en réserve. Voir en Is **49** 2 une image semblable. Le poème chante maintenant la délivrance et la punition des adversaires (cf. Is **14**; **47**; **51**; et les prophéties de Jérémie et d'Ézéchiel contre les nations).

d) Litt. « n'est-il pas comme un *tribut* ? ». Les peuples vassaux apportaient au roi des objets précieux comme tributs.

e) On retrouve dans ces vv. des apostrophes prophétiques adressées à Israël et retournées ici contre ses ennemis. Cf. Jr **18** 17; Is **10** 13, etc.

f) Litt. « ce qui est préparé pour eux ».

³⁶ (Car Yahvé va faire droit à son peuple,
   il va prendre en pitié ses serviteurs.)
Car il va voir que leur vigueur s'épuise,
   qu'il ne reste plus ni libre, ni serf^a.
³⁷ Alors il dira : Où sont leurs dieux,
   le rocher où ils cherchaient refuge,
³⁸ et ils mangeaient la graisse de leurs sacrifices,
   buvaient le vin de leurs libations ?
Qu'ils se lèvent et vous secourent,
   qu'ils soient au-dessus de vous votre abri^b !
³⁹ Voyez maintenant que moi, moi je Le suis
   et que nul autre avec moi n'est Dieu^c !
C'est moi qui fais mourir et qui fais vivre ;
   quand j'ai frappé, c'est moi qui guéris^d
(et personne ne délivre de ma main).

⁴⁰ Oui, je lève ma main vers le ciel^e
   et je dis : Aussi vrai que je vis pour toujours,
⁴¹ quand j'aurai aiguisé mon épée fulgurante^f
   je prendrai cause pour le Droit.
Je rendrai la pareille^g à mes adversaires,
   je paierai de retour ceux qui me haïssent.

---

a) Sens probable de l'expression hébraïque ; le v. est d'ailleurs particulièrement difficile.

b) Sur l'impuissance de ceux qui secourent ces peuples, cf. Ez **30** 6 et 8. Seul Yahvé est un secours efficace, cf. Is **41** 6, 10, 13 ; **44** 2 ; **49** 8 ; **50** 7, 9. C'est un abri (Is **49** 2).

c) Même formule, nouvelle affirmation du monothéisme, en Is **41** 4 ; **43** 10, 13. Le dernier vers du v. trouble le rythme et paraît avoir été ajouté sous l'influence de Is **43** 13.

d) Cf. Is **19** 22.

e) Geste et formule du serment évoquant l'ancien serment aux Patriarches si souvent rappelé dans les discours d'introduction.

f) Images semblables en Ez **21** 14 s. Voir aussi Is **49** 2 et 4.

g) Litt. « je rendrai la vengeance ».

⁴² J'enivrerai de sang mes flèches
    et mon épée se repaîtra de chair :
sang des blessés et des captifs,
    crânes des chefs de l'ennemi.

⁴³ Cieux, exultez avec lui ^a,
    et que les fils de Dieu l'adorent !
Nations, exultez avec son peuple,
    et que tous les envoyés de Dieu affirment sa
Car il vengera le sang de ses serviteurs,   [force !
    il rendra la pareille à ses adversaires,
il paiera de retour ceux qui le haïssent
    et purifiera ^b la terre de son peuple.

⁴⁴^c Moïse vint avec Josué fils de Nûn, et prononça aux oreilles du peuple toutes les paroles de ce cantique.
                  ⁴⁵ Quand Moïse eut achevé
La Loi, source de vie ^d.   de prononcer ces paroles à l'adresse de tout Israël, ⁴⁶ il leur dit : « Soyez bien attentifs à toutes ces paroles ; je les prends à témoin aujourd'hui contre vous, et vous prescrirez à vos fils de les garder, en mettant en pratique toutes

---

43. *G* ; « *Nations, acclamez son peuple ; car il venge le sang de ses serviteurs ; il fait retomber la vengeance sur ses ennemis et son peuple purifiera sa terre* » H.

---

a) Reprise de l'invocation initiale. Cette finale paraît mieux conservée dans le texte grec. Il est plus court que l'hébreu actuel, mais le texte hébreu qu'il suppose respecte mieux le parallélisme et la grammaire. La mention des « fils de Dieu » a gêné les copistes de l'époque juive, où l'on voyait des anges désignés par ce vocable. Mais comme au v. 8 il s'agit ici des païens ; ceux-ci vont s'agréger au peuple élu, cf. Is **60** à **66**.

b) Litt. « fera le rite d'expiation sur ». Expression fréquente dans les textes rituels (Lv *passim*) ; comparer avec Is **47** 11.

c) G insère ici **31** 22 et au lieu de « cantique » a « Loi ».

d) Suite de **31** 27. Les paroles dont il est ici question sont les paroles de la Loi (v. 46 *in fine*) et non du cantique.

les paroles de cette Loi. ⁴⁷ Vous n'agirez pas alors en vain, car elle est votre vie[a], et c'est par elle que vous vivrez de longs jours sur la terre dont vous allez prendre possession en passant le Jourdain. »

Annonce de la mort de Moïse[b].

⁴⁸ Yahvé parla à Moïse, ce même jour, et lui dit : ⁴⁹ « Monte sur le mont Nebo, sur cette montagne de la chaîne des Abarim, au pays de Moab, face à Jéricho, et regarde le pays de Canaan que je donne pour domaine aux enfants d'Israël. ⁵⁰ Meurs sur la montagne où tu seras monté, et tu seras réuni aux tiens, comme Aaron ton frère, mort sur la montagne de Hor, fut réuni aux siens. ⁵¹ Parce que vous m'avez été infidèles au milieu des enfants d'Israël, aux jours de Meriba-Cadès, dans le désert de Çîn, parce que vous n'avez pas manifesté ma sainteté[c] au milieu des enfants d'Israël, ⁵² c'est du dehors seulement que tu verras le pays, mais tu n'y pourras entrer, en ce pays que je donne aux enfants d'Israël. »

Bénédictions de Moïse[d].

33. ¹ Voici la bénédiction que Moïse, homme de Dieu, prononça sur les enfants d'Israël avant de mourir[e]. ² Il dit :

---

a) Belle formule qui reprend une des idées chères au second discours (**8** 3).

b) Suite du v. 44. Yahvé rappelle à Moïse son exclusion de la Terre Promise (cf. **3** 23) et assimile son cas à celui d'Aaron auquel se rattachait la tribu sacerdotale.

c) Cf. Ez **20** 41 et Nb **20** 12. La foi de Moïse eût alors permis à Dieu un nouveau miracle qui eût ainsi fait éclater sa transcendance, sa « sainteté », aux yeux d'Israël.

d) On a vu (note sur **27** 26) que les bénédictions de ce ch. **33** répondaient probablement dans le document ancien aux malédictions du ch. **27**. Elles n'ont pas la même netteté théologique que celles du ch. **28**. Fort anciennes, surtout les trois premières et celle de Gad, elles exaltent le rôle et les fonc-

Voir note *e,* à la page suivante.

Yahvé est venu du Sinaï[a].
Pour eux, depuis Séïr, il s'est levé à l'horizon,
    il a resplendi depuis le mont Parân.
Pour eux, il est venu depuis les rassemblements[b] de
    depuis son midi jusqu'aux Montées.   [Cadès,

3 Toi qui aimes les ancêtres,
    tous les saints sont dans ta main[c].
Ils étaient prostrés à tes pieds,
    et ils ont couru sous ta conduite.

4 (Moïse nous a prescrit une loi[d].)
    L'assemblée de Jacob entre dans son héritage[e];
        5 il y eut un roi en Yeshurûn,
    quand se rassemblèrent les chefs du peuple,
        quand se réunirent les tribus de Jacob.

---

tions des tribus yahvistes dans la conquête. Elles voient dans cette installation de chaque tribu l'effet de la puissance de Yahvé leur Dieu, magnifié
au début et à la fin. On peut comparer ces bénédictions à celles de Jacob
(Gn **49**) qui donnent le plus belle part à Juda. C'est lui le chef (v. 10),
et non plus comme ici Ruben dont Gn **49** 3 souligne la culpabilité. — Les
Vers. ont de nombreuses variantes.

e) La bénédiction de Moïse fait suite à l'intronisation de Josué (**31** 23);
même perspective de conquête et de victoires; il n'est pas question de
faute, de châtiment, d'exil.

a) Verset difficile et vocabulaire archaïque. Yahvé se lève comme un
astre et conduit les tribus depuis le Sinaï et le désert jusqu'aux rampes du
mont Pisga (cf. **3** 17 et **4** 49).

b) C'est-à-dire les clans réunis.

c) Apostrophe directe à Dieu. Les ancêtres sont les Patriarches; les
saints sont leurs descendants que lui, le Saint, s'est choisis.

d) Ce vers rompt le rythme et est considéré par beaucoup comme une
glose.

e) La marche des tribus a été rapidement décrite. Israël se prépare
à acclamer un « roi » au moment de prendre possession du pays; ce sera
Ruben. Sa tribu fut la première à être mise en possession de son lot (cf. **3**
18-20).

⁶ Que vive Ruben et qu'il ne meure pas *ᵃ*,
    et que vive le petit nombre de ses guerriers *ᵇ* !

⁷ Voici ce qu'il dit sur Juda :

    Écoute, Yahvé, la voix de Juda
        et ramène-le vers son peuple *ᶜ*.
    Que ses mains défendent son droit,
        viens-lui en aide contre ses ennemis.

⁸ Il dit sur Lévi :

    Donne à Lévi tes Urim
        et tes Tummim *ᵈ* à l'homme à qui tu fis grâce,
    après l'avoir mis à l'épreuve à Massa,
        contesté contre lui aux eaux de Meriba *ᵉ*.
⁹ Il dit de son père et de sa mère :
    « Je ne l'ai pas vu. »
    Ses frères, il ne les connaît plus,
        ses fils, il les ignore.
    Oui, ils ont gardé ta parole
        et ils retiennent ton alliance *ᶠ*.

---

33 8. « *Donne à Lévi* » *G ; omis par H.*

---

a) Cette acclamation est la formule même de l'acclamation royale (1 S **10** 24; 1 R **1** 25, 34).

b) Cette tribu de Ruben, si puissante au temps de Moïse, n'a pas tardé à tomber en décadence. Ce vers y fait-il allusion ? Le texte hébreu parle de « petit nombre » (cf. **4** 27 et **10** 19) mais le texte grec a compris le contraire, « la multitude », et sa leçon pourrait être la bonne.

c) Allusion à une séparation entre Juda et le reste d'Israël, soit au temps du schisme, soit au temps de la conquête si, comme beaucoup d'auteurs l'admettent, Juda a pénétré par le Sud alors qu'Éphraïm passait le Jourdain.

d) Les Urim et Tummim sont les sorts sacrés, cf. 1 S **14** 41 s. Leur maniement était confié aux prêtres lévites.

e) Cf. Nb **20**.

f) Lévi a montré sa fidélité au Sinaï (Ex **32** 25-27) et à Baal-Péor (Nb **25** 7).

¹⁰ Ils enseignent tes coutumes à Jacob
    et ta Loi à Israël.
Ils font monter la fumée à tes narines
    et mettent l'holocauste sur ton autel[a].
¹¹ Bénis, Yahvé, sa valeur[b]
    et agrée l'œuvre de ses mains.
Brise les reins de ses adversaires
    et de ses ennemis jusqu'à ce qu'ils tombent.

¹² Il dit sur Benjamin :

    Bien-aimé de Yahvé, il repose en sécurité.
    Le Très Haut le protège tous les jours
    et demeure entre ses coteaux[c].

¹³ Il dit sur Joseph :

    Son pays est béni de Yahvé.
    A lui le meilleur de la rosée des cieux
    et de l'abîme souterrain[d],
¹⁴ le meilleur de ce que fait croître le soleil,
    de ce qui pousse à chaque lunaison,
¹⁵ les prémices des montagnes antiques,
    le meilleur des collines d'autrefois[e],

---

12. « *Le Très Haut* » 'èlyôn *conj.* (*Var. G :* « *Dieu* »); « *sur lui* » 'alayw *H.*

a) Fonctions des lévites : ils donnent des consultations au nom de Yahvé (en délivrant une *torah* ou loi); ils jugent certains cas selon les coutumes yahvistes; ils offrent sacrifices et parfums.
b) Archaïsme. Très tôt Lévi a perdu son caractère guerrier.
c) Litt. « épaules » (comme nous disons un « épaulement » de la montagne). Il y avait à Jérusalem « l'épaule du Jébuséen ». Il est fait ici allusion au Temple de Jérusalem, la ville appartenant à la tribu de Benjamin (Jos **15** 8). Auparavant la demeure de Yahvé avait été en Éphraïm (Silo), en Juda (Qiryat-Yéarim), mais non en Benjamin.
d) Cf. **4** 18; **8** 7 et les notes.
e) C'est-à-dire celles où vécurent autrefois les Patriarches, cf. Gn **49** 26. Mais l'expression tend à prendre un sens cosmique, cf. Ha **3** 6.

¹⁶ le meilleur de la terre et de ce qu'elle produit^a,
la faveur de celui qui habite le Buisson^b.
Que la chevelure abonde sur la tête de Joseph,
du consacré parmi ses frères^c !
¹⁷ Premier-né du taureau^d, à lui la gloire.
Ses cornes sont cornes de buffle^e
dont les coups frappent les peuples
jusqu'aux extrémités de la terre.
Telles sont les myriades d'Éphraïm,
tels sont les milliers de Manassé.

¹⁸ Il dit sur Zabulon :

Sois heureux, Zabulon, en tes expéditions,
et toi, Issachar, dans tes tentes^f !
¹⁹ Sur la montagne^g où les peuples viennent invoquer
ils offrent des sacrifices de succès^h,
car ils aspirent à eux l'abondance des mers
et les trésors cachés dans les sables.

---

a) Litt. « de sa plénitude », cf. **22** 9.

b) C'est Yahvé dans le Buisson ardent (Ex **3** 1-3).

c) La chevelure sur la tête de Joseph, c'est la végétation qui couvre les collines qui lui sont échues; et en même temps c'est le signe de sa prééminence. Il y a un double jeu de mots sur *rôsh* qui signifie à la fois « tête » d'un homme et « sommet » d'une colline, et sur *nezîr* qui signifie à la fois « prince » et « tête non rasée » : la chevelure longue étant signe de distinction (Na **3** 17; Lm **4** 7) et de consécration à Dieu (Samson).

d) Dans l'ancien Orient le grand Dieu était souvent comparé à un taureau, géniteur puissant, force redoutable. Cette bénédiction donne à Joseph (donc aux deux tribus qui s'y rattachent, Éphraïm et Manassé), une priorité que la bénédiction de Jacob (Gn **49**) attribuait à Juda. — Sam G Syr portent : « Premier-né du père ».

e) Race bovine plus forte et plus antique, mentionnée dans les anciens poèmes phéniciens.

f) Ce sont deux tribus commerçantes, l'une sur terre et l'autre sur mer.

g) Sans doute le Carmel, lieu sacré qui dominait l'habitat de ces deux tribus.

h) Litt. « de justice » dans le sens de conduite heureuse (cf. v. 21 pour Gad et Is **41** 2 pour Cyrus).

²⁰ Il dit sur Gad :

> Béni soit celui qui met Gad au large !
>> Il repose comme une lionne ;
> il a déchiré bras, visage et tête.
>> ²¹ Puis il s'est attribué les prémices[a] ;
> là, il a vu qu'une part de chef lui était réservée.
>> Il est venu comme chef du peuple,
> ayant accompli la justice de Yahvé
>> et ses sentences sur Israël.

²² Il dit sur Dan :

> Dan est un jeune lion
>> qui s'élance du Bashân[b].

²³ Il dit sur Nephtali :

> Nephtali, rassasié de faveurs,
>> comblé des bénédictions de Yahvé :
> la Mer et le Midi sont son domaine[c].

²⁴ Il dit sur Asher :

> Béni soit Asher entre tous les fils !
> Qu'il soit privilégié parmi ses frères
>> et qu'il baigne son pied dans l'huile !
> ²⁵ Que tes verrous soient de fer et d'airain
>> et que ta sécurité dure autant que tes jours[d] !

---

a) Gad fut avec Ruben la première tribu stabilisée. Cette bénédiction lui donnait une sorte de primauté dont il n'a pas tardé à déchoir.

b) Dan était au nord d'Israël, à Laïsh (qui signifie *lion*), au pied de l'Hermon et aux confins du Bashân, cf. **34** 1.

c) La Mer semble être ici le lac de Gennésareth, car Nephtali habitait au nord mais non sur la côte de la Méditerranée. Ce district du lac de Hulé, entre Hermon et lac de Gennésareth, était peut-être appelé Négeb (qui signifie « Midi », ici *Dârôm*) par les anciens Phéniciens. Voir aussi Jos **11** 2.

d) Asher habitait près de la mer dans une région favorable à l'olivier. Il

²⁶ Nul autre n'est pareil au Dieu de Yeshurûn[a] :
il chevauche les cieux[b] pour te secourir,
   et les nuées, dans sa majesté !
²⁷ Le Dieu d'autrefois, c'est ton refuge.
   Ici-bas, c'est lui le bras antique
qui chasse devant toi l'ennemi;
   c'est lui qui crie : Détruis !
²⁸ Israël demeure en sécurité.
   La source de Jacob est mise à part
pour un pays de froment et de vin;
   le ciel même y distille la rosée.
²⁹ Heureux es-tu, ô Israël !
   Qui est comme toi, peuple vainqueur[c] ?
En Yahvé est le bouclier qui te secourt
   et l'épée en marche qui te mène au triomphe.
Tes ennemis voudront te corrompre,
   mais toi, tu fouleras leurs dos[d].

Mort de Moïse. **34.** ¹ Alors, partant des Steppes de Moab[e], Moïse gravit le mont Nebo, sommet du Pisga en face de Jéricho, et Yahvé lui fit voir tout

---

29. « *l'épée en marche* » ašur ḥèrèb *conj.*; « *que l'épée* (?) » ašèr ḥèrèb *H.*

---

y a jeu de mots sur « verrou » qui signifie aussi « sandale ». Mais la traduction est ici fort incertaine.

a) Voir **32** 15 et la note.
b) Cf. **32** 13.
c) Litt. « qui se sauve », cf. Za **9** 9.
d) Cette finale exalte le caractère guerrier du Dieu d'Israël. Après sa force il révélera sa douceur.
e) Ce sont les vallées qui remontent en Moab à partir de la grande dépression du Jourdain près de Jéricho. — Pour ces vv. 1-4 Sam est plus court : « ... Yahvé lui fit voir tout le pays depuis le fleuve d'Égypte jusqu'au grand fleuve, le fleuve Euphrate, et jusqu'à la Mer occidentale. Yahvé lui dit : ... »

le pays : le Galaad jusqu'à Dan, ² tout Nephtali, le pays d'Éphraïm et de Manassé, tout le pays de Juda jusqu'à la Mer occidentale *ᵃ*, ³ le Négeb, le district de la vallée de Jéricho, ville de palmiers, jusqu'à Çoar *ᵇ*. ⁴ Yahvé lui dit : « Voici le pays que j'ai promis par serment à Abraham, Isaac et Jacob, en ces termes : Je le donnerai à ta postérité. Je te l'ai fait voir de tes yeux, mais tu n'y passeras pas. »

⁵ C'est là que mourut Moïse, serviteur de Yahvé, en terre de Moab, selon l'ordre de Yahvé; ⁶ il*ᶜ* l'enterra dans la Vallée, au pays de Moab, vis-à-vis de Bet-Péor. Jusqu'à ce jour nul n'a connu son tombeau. ⁷ Moïse avait cent vingt ans quand il mourut; son œil n'était pas éteint, ni sa vigueur épuisée. ⁸ Les enfants d'Israël pleurèrent Moïse trente jours dans les Steppes de Moab. Les jours de pleurs pour le deuil de Moïse s'achevèrent. ⁹ Josué, fils de Nûn, était rempli de l'esprit de sagesse, car Moïse lui avait imposé les mains. C'est à lui qu'obéirent les enfants d'Israël, exécutant l'ordre que Yahvé avait donné à Moïse.

¹⁰ Il ne s'est plus élevé en Israël de prophète pareil à Moïse, lui que Yahvé connaissait face à face. ¹¹ Que de signes et de prodiges Yahvé lui fit accomplir au pays d'Égypte, contre Pharaon, tous ses serviteurs et tout son pays ! ¹² Quelle main puissante et quelle grande terreur Moïse avait mises en œuvre aux yeux de tout Israël*ᵈ* !

---

a) La Méditerranée.

b) Au sud de la mer Morte comme Jéricho en est au nord.

c) C'est-à-dire Yahvé. — Mais Sam et Var. G portent : « ils l'enterrèrent ».

d) Moïse, l'homme de Dieu du ch. **33**, fut considéré comme le plus grand des Prophètes (Nb **12** 6 s), l'intercesseur par excellence (Jr **15** 1), le plus glorieux des hommes et le plus chéri de Dieu (Si **45** 1-6). Mais c'est avant tout celui qui transmit à Israël les volontés divines (Dt **5**), celui par qui fut donnée la Loi, le médiateur de cette Loi, comme le dira saint Paul (Ga **3** 19). Saint Jean résumera tout en disant : « La Loi fut donnée par l'intermédiaire de Moïse, la grâce et la vérité sont venues par Jésus Christ » (**1** 17).